宇宙研究のつれづれに

「慣性」と「摩擦」のはざまで

池内 了

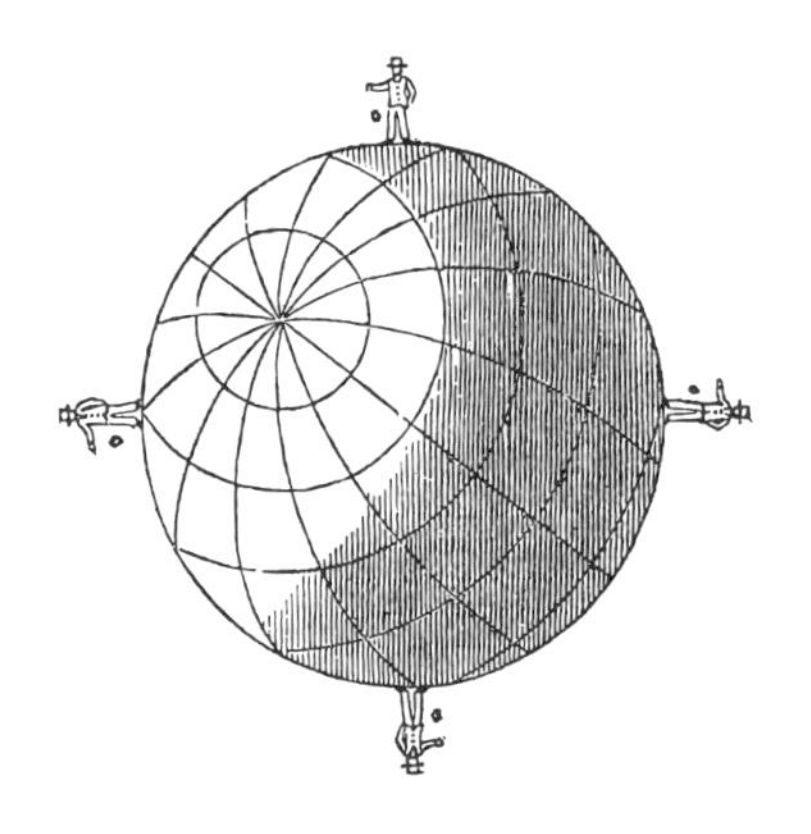

青土社

宇宙研究のつれづれに　目次

宇宙研究のつれづれに　「慣性」と「摩擦」のはざまで

はじめに

世界で最も美しい法則は何かという問いに対して、私が挙げたのは「慣性の法則」であった。アインシュタインの $E=mc^2$ やハッブルの法則 $v=HR$ のように、実に簡明であるが、多くの重要な意味を秘めている法則（方程式）は数々あるのに、「慣性の法則とは？」と訝しく思われるかもしれない。実際、この法則を美しいと思われる方は少ないのではないか。

「慣性の法則」とは、ニュートンの運動の法則の第一法則に掲げられている「物体は力が働かなければその運動を持続する」という、何の変哲もなく、場合によっては見過ごされてしまう法則のことである。この言明によってニュートンは慣性系が存在することを法則として位置づけなければならないと考え、運動の法則の第一としたのだ。もっとも、慣性系の存在を主張したそもそもの人間はガリレオ・ガリレイであった。まだアリストテレスの自然律が強く信じられ、「物体は力が働かなければその運動は止まってしまう（逆に言えば、物体の運動を持続させるためには力を常に加え続けねばならない）」との言明が極めて当たり前とされていた時代に、ガリレオは力が働かなくても運動を続けると主張し、そのような系を慣性系と呼んだのであった。

ガリレオが採用した論証の仕方は本文で触れるが、一切の夾雑物（きょうざつぶつ）を取り除いて物体そのものの運動に注目すれば、こう考えねばならない、と断じたことに物理学の本質を見る思いがする。つまり、物理学とは「最も純粋な形において真実が表れる」と率直に表明する学問であり、またそこからのズレを追求することで物体に作用する諸種の影響を洗い出す手法でもある、と捉えることができるだろう。その簡明さに私は物理学の美を見出したのである。

さて、本書をその「慣性」というキーワードで編んだのは、むろん物理学の話ではなく、人間の生き様や社会で生起しているさまざまな事柄における人間の関わりが、「慣性」という言葉に重ね合わせられると思ったためである。「外部からの力が働かない限り、物体は同じ運動を継続する」を、他と独立した人間の慣性に従った生き様と言える。しかし、人間は外部環境とまったく無関係でいることはできない。必ず外部からの何らかの力が作用する中で生きているのが人間であり、それによってさまざまな知を獲得して豊かになっていると言い得るのではないか。つまり、人は知的な世界の構築において、学習し、問いかけ、議論し、交流するというような、他との相互作用無しには存在し得ないのである。いわば慣性のみで直進しようとする知の衝動に対して、外部環境が摩擦あるいは抵抗として働くのだ。それは、時には知的な活動そのものを止めてしまうような事件を引き起こすこともあるが、それによって新しい知の世界が拓かれることもある。つまり、慣性のみでは知のキャンバスに単調な直線しか引けないが、そこに摩擦力が加わり、さらに方向をずらすというような外的作用が加わると複雑な曲線を描くことになり、多様に展開する図形から思いがけない構築物を案出できるようになるというわけだ。

本書の副題を「「慣性」と「摩擦」のはざまで」としたのは、科学者（天文学者）としてひたすら「科学的好奇心」という慣性に駆動されて研究をしてきた私が、実は多くの外力を受ける中で知的世界を築いてきたことに気が付いたためである。外力は摩擦のように、自分の一面的な生き方を変えさせる力として働き、自分の内面の葛藤を生み出す源泉ともなってきた。慣性によって直進したがる私へのブレーキの役割であった。一般に摩擦は、軋轢とか争いとか悶着というようなマイナスの意味で使われることが多いが、例えば私たちが立ち上がって歩くことができるのは、足と地面の間に摩擦が働くためである。紙に字が書けるのも摩擦があるためだ。摩擦は私たちが拠って立つ位置をしっかり固めてくれる役割もあることを忘れてはならない。また外部から飛び込んでくるさまざまな刺激が摩擦として作用する中で、余分なこだわりやしがらみのようなものが洗い落とされ、すっきりと本質のみを発見することができるということもある。

他方、人間関係における摩擦から、さまざまな「知恵」がついてきたことも確かだろう。この場合には、浅知恵とか悪知恵とか後知恵というような芳しからざる言葉が浮かんでくる。人との間の摩擦を経験することによって、裏を読んだり、逆を考えたり、先手を打ったり、というような屈折した心の動きが生じることもある。それも私たちの生き様には必要なことで、そのような心の軋みがあってこそ、それを凌駕できたときにより豊穣な知的世界に近づいたことを実感する。人生はその繰り返しであると徐々に覚るのである。

というような、「慣性」と「摩擦」のはざまで考え書いてきた文章を集めたものが本書である。プロローグには、なぜ慣性の法則を世界で最も美しい法則と考えたかの文章を提示して本論を開始し、エピローグには、私にとって科学とはいかなるものであったかを若者に語りかける文章で締めくくった。慣性の法則で象徴される一直線に進む自分から出発し、最後に老境に差しかかった科学者として語り伝える言葉を残すという、序章と終章の構成である。そしてむろん、その中間部の三部に分けて収録した文章が本書の本命で、さまざまな局面で見てきた慣性・摩擦・葛藤の経験を私なりの目で読み解き、その都度書き連ねてきた評論を集めている。

第I部は「「慣性」に抗って」と題し、戦争や国家プロジェクトというような外部からの大きな力を掛けられたとき、科学者は純粋な科学研究を続行したいという慣性に抗うための戦いをしなければならない。外力の大きさが圧倒的で慣性が踏み潰されてしまうことも多くある。ここで取り上げたのは四つの異なったタイプの事件である。第1章は、平和主義者であったアインシュタインの、第一次世界大戦勃発時のニコライとの共同宣言の経緯で、その後のアインシュタインの行動にどのような影響を与えたかを考えてみた。第2章は、第二次世界大戦中のハイゼンベルクを代表とするナチスドイツの科学者と戦後のアメリカの軍事戦略に大きな影響を与えたＪＡＳＯＮの活動を取り上げ、権力者と妥協して軍事研究に勤しむ科学者の姿をスケッチした。第3章は、空中爆発を起こしたスペースシャトル「チャレンジャー」号の事故調査委員会に加わったファインマンが、国家プロジェクトを主導するＮＡＳＡと摩擦を起こしながら独自の事故調査報告書を仕上げるまでの軌跡を描いた。そして第4章は、企業内科学者であるグーグルの社員がＡＩの軍事利用を狙う経営者に反旗を翻してその目論見を撤回させた経緯で、科学者が科学の面白みというような慣性のみに従っていると、ＡＩの軍事利用にやすやすと乗せられてしまう危険性がわかる。

それぞれに登場する科学者が、時には慣性に従って摩擦に逆らう場合があり、また時には摩擦のなすがままで慣性に逆らう場合もある。慣性と摩擦は互いに拮抗し、科学者の個性と環境と社会状況によって優劣は異なり、単純ではないのである。

第Ⅱ部は「わたしたちの「座標系(にちじょう)」のなかで起きていること」と題して、特に戦争にかかわる科学者の状況についてまとめた。私たちが日常生きている座標系に、いかなる力が働いて運動(生き様)に影響を与えているかを振り返ってみようとの趣旨である。最初の第5章で、戦争が最大の環境破壊要因であることはよく言われるが、具体的な事例を挙げて、戦争準備の段階から戦争終了後まで環境破壊が長く継続することを示している。温室効果ガスの排出削減は喫緊の課題であると世界の同意はあるが、戦争が引き起こす環境破壊については、意外に議論されていないのはどうしてなのだろうか。その背景には軍事力による抑止論があり、それは究極には戦争は止むを得ないものとの諦念と結びついているためではないだろうか。

そこで第6章において、真に戦争を抑止する力は何であるかを考えて、「人間力による戦争抑止」を提案した。続く第7章において日本における科学技術の軍事利用の歴史的変遷をたどり、

第8章では現在進行中の軍学共同の実態についてまとめている。軍事研究への誘いは、純粋な民生研究を慣性として行っている科学者に対し、潤沢な研究費という巨大な外力でもって研究の方向をずらしていくように作用する。それをどう考えるかは、科学者の社会的責任として重く論じられるべきだが、個人の枠に止まっていて学問の在り方にまで議論が及んでいない。このように科学技術が危うい状況にある日本において、「大学改革」の掛け声ばかりが強調されているが、それが一体何をもたらすのかを考えたのが第9章である。

ここで少し気分を変えるために、ダイアローグとして、第7章から第9章にかけてのテーマを「学問の自由」という観点から見直せばどうなるかを語った講演録を収録した。北海道大学で毎年行われている「宮澤・レーン事件を考える会」の、二〇一九年一二月集会での講演記録である。宮澤・レーン事件とは、第二次世界大戦中に軍からスパイと決めつけられて弾圧された北大生の宮澤弘幸と、同時に北大教師の座を追われて国外追放されたアメリカ人教師のレーンへの冤罪事件である。秘密保護法が策定され、安全保障法制が強化され、共謀罪が成立した日本において、いつまたこのような事件が起こるかわからない状況であることに留意しなければならない。

続く第Ⅲ部は「「慣性系(せかい)」をとらえるまなざし」として、私が興味を持って業績を調べ、論評した人物たちについての寸評を集めたもので、単行本として出版している場合には、その紹介も兼ねている。その一人は第10章の司馬江漢で、彼は天才絵師として著名であるのだが、窮理学を学んで地動説を唱道し宇宙論の帳にまで首を突っ込んだ人物である。その画業とともに、おそるおそる地動説に近づいていった一部始終が興味深い。彼については『司馬江漢——江戸の「ダ・ヴィンチ」の型破り人生』（集英社新書、二〇一八年）として出版した。さらに第11章には、江漢と同時代に生きた長崎通詞の志筑忠雄と浪華の金貸しの番頭である山方蟠桃、の二人の事蹟についてまとめている。ニュートン力学を日本に最初に紹介し太陽系形成論を論じた志筑と、人間があちこちに多数生まれている大宇宙論を構想した蟠桃、それに江漢を加え、天文学とは縁のない三人が宇宙の探究に挑んだ珍しい歴史として調べたのである。もう一人の人物は、文理の融合を自然のうちに体現した寺田寅彦で、その学問と文章について私は長く追っかけをしてきた。彼については、二冊の最近の著書の『寺田寅彦と現代（新装版）』（みすず書房、二〇二〇年）と『ふだん着の寺田寅彦』（平凡社、二〇二〇年）で、まったく違った寺田寅彦像を提示したが、まだまだ書く尽くせない側面が多くある。

以上の四人は、まさに自らの慣性系に従って学問の世界を闊歩したのだが、いずれもが世間との摩擦なんて何のそのとして、自分の人生を生き切ったことを高く評価している。

以上が本書の構成で、これまでいくつかの雑誌等に発表した文章に手を加えて現状を反映するようにした。私は、いったん発表した文章を読み返すとき、それぞれ書いた時点での自分と今の自分は異なっているのだから、その差異は残しておこうと考えるタイプである。だから、そんなに大きく手を入れてはおらず、初出のままのものが多い。しかし、明らかに私の考えが異なるようになったとか、新しい発見があって意見を修正したというような場合は、思い切って書き換えている。ここに提示した池内了という座標系は、現時点で摩擦を受けながらお運動し続ける慣性系として受け取っていただければ幸いである。

プロローグ

慣性の法則――世界で最も美しい法則

通常、私たちが「慣性」という言葉を使うのは、例えば全力疾走してゴールに到着してもすぐに止まることができず、勢い余ってさらに走り続けてしまうときだ。そのまま運動の勢いを持続するという意味である。実は止まっている場合も、外から力を加えない限り止まり続けるから、静か動かのいずれであれ「運動の状態」を持続しようとするときに当てはまる。「広辞苑」に書かれているように、慣性とは「力が働かない限り、物体がその運動状態を持続する性質」のことで、これが過不足ない定義ということになる。

むろん、私たちは走り終わると摩擦が大きくなるよう足を踏ん張ってスピードを緩め、あるいは同じ速度を持続しようと思えば摩擦力を上回るようさらに足を前後し続けねばならない。摩擦の存在が慣性の法則を無効にするのだ。とすると、摩擦が無視できるなら、何もしないと等速運動が持続すると予想できる。これを、わざわざ「慣性の法則」とまで言わなくてもと思われるかもしれないが、この法則の発見こそが近代科学革命をもたらす出発点となったのだから、「最も美しい法則」として推奨する次第である。

ガリレオの実験

慣性の法則に最初に気づいたのはガリレオだが、『天文対話』に書いているように、それは斜面に球を転がす実験をしていたときらしい。最初ガリレオは玉が自由落下する運動の詳細を明らかにすることを目指したのだが、そのままでは玉の動きが速すぎてとても時間と落下速度や落下距離との関係を求めることができない。そこで斜面に球を転がすという方法を考案した。斜面にすれば玉の速度を遅くできるし、斜面に目印を入れれば玉の位置が明示できるようになるからだ。ガリレオは、この実験を繰り返すことで、落下速度は玉の質量には依存せず時間に比例し、落下距離は時間の二乗に比例することを明らかにすることができた。アリストテレスは落下する物体が重いほど落下速度は速くなると言明したが、それを反証する結果を得たのである。

このとき、斜面を下るように球を転がせば、どんどん落下速度が大きくなり、斜面を上るように球を転がせば、当然上昇する速度は小さくなる（やがて球は止まって落下する）。むろん、これは重力によって加速あるいは減速される現象で、日常的に体験していて当たり前のことである。しかし、ガリレオはさらに考えた。斜面でなく平坦な場合はどうなるのか？　平坦な場合には運動の方向には重力は働かず、斜面を下る（加速する）のでも上る（減速する）のでもないから、摩擦を無視すれば球は等速度で動き続けるとしなければならない。こうして慣性の法則に気づいたのである。

それまでは、アリストテレス流の考えで、平坦な場合でも物体が運動を持続するためには力を加えなければならないと考えられてきた。実際、玉は摩擦によってやがて止まってしまうから、押し続けないと運動は持続しない。これはわかる。では、放たれた矢が水平に飛び続ける場合、矢を押す力はどうなっているのだろうか？　これは難問で、矢の先端部で押しのけられた空気が矢の後ろ側に移動して押すという、実に不自然な作用を仮想するしかない。中世末期のスコラ派の学者を悩ませた難問であった。

しかし、空気の抵抗が無視できれば、むりやり矢を押す必要はなくなり、慣性の法則によって横方向に一定速度で飛び続けるとすればよい。さらに、ガリレオが発見した縦方向の重力による自由落下の法則と組み合わせると、矢の軌道は放物線となることまでわかる。つまり、まず空気抵抗や斜面の摩擦がないとする理想的な慣性系で運動を解析し、そこで得られた運動に抵抗や摩擦による補正をして現実を説明すればよい、ということになる。これはとりもなおさず近代科学が採用している問題解決の手法で、慣性の法則はまさにそのような科学の方法へのヒントとなったのである。

ニュートンは慣性系が存在することは自明ではなく、自然の最も基本的な性質として認識すべきだと考え運動の第一法則（慣性の法則）として位置づけた。運動を記述するにおいて、まず慣性系が存在することを言明したのである。そして、運動の第二法則（運動の法則）も第三法則（作用反作用の法則）も慣性系の上で成り立つ法則として定式化した。従って、慣性の法則こそニュートン力学が存立する大前提と言うべきなのである。

実際の慣性系

私たちが実際に取り扱う座標系は、地球の重力が働いていて慣性系ではないことは明らかである。といって、ニュートンの運動の法則が適用できないというわけでない。局所的に見れば地球重力を無視できるし、ほとんど外部から力が働いていない状況を設定できるからだ。

コペルニクスの地動説には、地球の自転と太陽の周りの公転という地球の二つの運動が含まれている。そのうち人々が疑ったのは自転で、もし地球がコマのようにクルクル回っているのなら、静止している空気との間に大きな速度差（地球の赤道での自転速度は秒速四六三メートル）ができて大暴風となるはずで、そうなっていないのだから自転していない、というものであった。このクレームに対し、ガリレオは空気は地球と一緒に運動しており、慣性の法則でその運動は持続されるのだから速度差はつかず暴風にはならないと述べた。慣性の法則は地動説を擁護する重要な論拠となったのである。

そのことを示すために、ガリレオは簡単な実験を提案する。船のマストの上方から石を落下させると、石はマストの根本に落ちるか、それとも船が動いた距離だけ後ろに落ちるか、と問いかけたのである。船の甲板で石を真上に放り投げたとき、どこに落ちるかを実験してみてもよい。同じところに落ちるか、船が動いた分だけ後ろ寄りに落ちるか、である。実際にやってみれば、いずれの実験でも船が動いた効果は検出できない。なぜなら、落下させる石にしろ、放り上げた石にしろ、慣性の法則で船と同じ速度で動いている状態が持続しているのだから、船が止まっている場合と同じなのである。

こんな笑い話もある。ヨーロッパからアメリカへ行くのに、いったん気球で上空に昇ってそこでしばらく止まっており、やがて地球の回転でアメリカが足下にきたときに気球の空気を抜いて降りれば、ほとんどエネルギーを使わずにアメリカへ行けるという提案があった、と。

ガリレイ変換

一つの慣性系に対して一定速度で相対運動する系も慣性系であるから、慣性系は無限に存在することになる。それら慣性系の間では物体の物理量（位置や速度）の値は異なっているが、慣性系相互の値の間にはある決まった関係が成り立っている。この関係を「変換則」と言い、古典力学の範囲で「ガリレイ変換」と呼ぶ。ガリレイ変換では、異なった慣性系の間でも同じ時間が流れていると仮定しており、「絶対時間」を考えていることになる。というより、慣性の法則からは時間について何らの制限を加えることができないので、こう仮定せざるを得ないのである。

ガリレイ変換の場合、互いに等速で運動する慣性系の間では物体の位置や速度は相対速度分だけ変わるが、加速度は変わらない。そうすると、(ニュートンの運動の第二法則によって)どのような慣性系から観測しても物体の運動は同じ形で表されることが導かれる。「運動の形からは慣性系を区別することができない」のだ。これを「ガリレイの相対性原理」と呼ぶ。逆に言えば、ガリレイの相対性原理から導かれるのがガリレイ変換なのである。

ある慣性系で、静止していた一個の物体が二個に分裂した場合を考えてみよう。最初の状態では止まっていたから運動量(質量に速度をかけた量)はゼロである。だから、二個に分かれて各々が運動量を持っても、二つの運動量の和はゼロでなければならない。反応の前後で運動量の総和は保存されるのである。このように、運動量はどのような慣性系から観測しても同じ形になるということから、分裂や合体などの反応において個々の運動量は変化しても、運動量の総和は衝突の前後で不変となる。これを「運動量保存則」と呼び、デカルトが慣性系における運動の重要な帰結として指摘したものである。

ここでの言明を一般化すると、ある変換に対して系の記述が同じ形(不変とも言う)であるならば、それが何らかの保存則に結びついているということになる。これを「ネーターの定理」と呼び、解析力学における変換―不変性―保存則の連鎖として証明されている重要な定理である。その最初は、慣性系の間のガリレオ変換に対する不変性が運動量保存則の起源となっているという事実であったのは興味深い。

ローレンツ変換

ガリレオの時代に問題にしていたのは物体の力学運動であり、「運動はあらゆる慣性系で同じ形に表わされる」のだから、運動から慣性系を区別することができないということが導かれた（ガリレイの相対性原理）。しかし一八世紀半ば以降になって電磁場の方程式が発見され、それが成り立つのは絶対静止のエーテルに対する慣性系のみであった。エーテルに対し相対速度を持つ別の慣性系に移ると、相対速度が電磁場の運動方程式に現れてしまうことになる。つまり、相対速度によって慣性系を区別することができるのである。ところが、マイケルソンはその相対速度を検出しようとして巧妙かつ緻密な実験を行ったが、検出することができなかった。

ここに登場したのがアインシュタインで、ガリレイ変換を「すべての物理法則はあらゆる慣性系で同じ形に表わされる」（特殊相対性原理）として一般化したのが「ローレンツ変換」であり、それによって組み上げられた力学体系が特殊相対性理論である。その結果、絶対時間が否定されて個々の運動に付随する相対時間になり、空間が収縮するということになった。今やいかなる物理法則も「相対論的不変性」が要求されるが、その原点はやはり慣性系の間には区別がないという、極めてナイーブな概念であることを忘れないでいたいものである。

力学における慣性系は、言わば理想状態であって、現実のシステムは摩擦が働くから暴走することはない。厄介なのは人間世界における軍拡系で、理想状態では抵抗が働くが、功を奏せず、現実には止めどなく膨張していくのが常であることだ。

第Ⅰ部　「慣性」に抗って

数えたことはないが、アインシュタインは生涯に数十の「宣言」（「声明」、「マニフェスト」、「呼びかけ」等も含む）に署名をし、呼びかけ人や賛同人になって自らの意志を表明してきた。その中で、彼の生涯における最初の「宣言」が、通称「ニコライ＝アインシュタイン宣言」と呼ばれるものである（正式名は「ヨーロッパ人への宣言」）。この「宣言」を巡って、関連する人々のエピソードやアインシュタインの平和主義の立ち位置について論じてみたい。

「ニコライ＝アインシュタイン宣言」は、第一次世界大戦が勃発して間もない一九一四年一〇月に出されたものだが、おそらくアインシュタインが関与した「宣言」の中で、最も世間に知られておらず、最も署名者の少ない（ニコライとアインシュタインと他二名しか署名しなかった）「宣言」であったと思われる。しかし、この「宣言」において、既にヨーロッパ連盟についての議論を開始しており、また今日のヨーロッパ連合（ＥＵ）、そしてアインシュタインの世界連邦構想の淵源となるものが暗示されてもいて、その内容の重要性は見直されてよいのではないかと思っている。

「宣言」の起草者であるニコライは、戦争の無意味さを科学的・社会的・政治的な側面から詳しく論じた『戦争の生物学』を執筆した。この本を巡って、アインシュタインのみならず、ロマン・ロラン、山本宣治（そして本書では省くが朝永振一郎）と、それぞれが繋がってくるのが興味深い。それも手短にまとめておきたい。

「ニコライ＝アインシュタイン宣言」が出されるまで

第一次世界大戦が勃発するまでは、老舗の科学大国であったイギリスと新興科学国であるドイツとの間では人的交流が盛んで、両国は友好的な関係の中で互いに競い合っていた。端的に言えば、この段階では、イギリスは科学・技術分野の兄貴分として、弟分であるドイツを寛容に遇していたというのが実情であろう。遅れて近代化したドイツは、イギリスを目標として工業化を進めるとともに、科学研究の推進のため学術体制の改革に励んだのである[1]。その成果が挙がったことは、次頁に示す一九〇一年から開始されたノーベル賞の一九二五年までの受賞者数を見ればわかる。

ドイツはイギリスと世界の覇を競うどころか凌駕する状況にまで成長したのである。

折しも一九一四年七月に第一次世界大戦が勃発した。いったん戦端が開いてしまうと、それまで普遍性・国際性を看板に掲げていた科学の世界であっても、一夜にしてその看板を愛国主義に

ノーベル賞受賞者数（1925年まで）

	物理学賞	化学賞	医学・生理学賞
イギリス	5	4	3
ドイツ	11	9	5
フランス	4	4	3
オランダ	4	1	1
アメリカ	2	1	0

書き換えることになる。平和時にはもっぱら国際主義を標榜していた科学者も、いざ戦争となれば自国の勝利のために全力を尽くす愛国者に早変わりした。それはイギリスでもドイツでも同様であった。

一九一四年九月一七日、イギリスのコナン・ドイル、トーマス・ハーディ、H・G・ウェルズなど代表的作家五三人が署名した「イギリスの戦争の擁護」なる声明が発表された。ドイツが中立国であるベルギーを蹂躙したことを非難し、いかなる国にも他国に文化を押しつける権利はないことを宣言したものである。そして、大英帝国は「鉄と血による」支配を拒否し、正義による支配に立脚するとともに、小国の権利を保護して、自由と法を守る理想を追求し続けることを謳ったのだ。この声明にはイギリス外務省の戦争プロパガンダ局の後押しがあったと言われているが、イギリスからドイツへの文化戦線における先制攻撃とも言える。

これに刺激されたのか、一〇月四日、ドイツの作家・科学者・芸術家など九三人が署名したマニフェスト「文明世界への宣言」が公表された。この宣言では「以下のことは本当ではない」という言葉で始まる六つの「否認」を強調しており、ベルギーで残虐行為を犯したことの否認、ベルギーの都市ルーバンでの略奪の否認、ドイツが国際法の条項を公然と無視したことの否認などが含まれている。そして、イギリスを筆頭にしてドイツに対する虚偽を宣伝していると非難し、「ドイツに軍国主義がないとすれば、ドイツ文化は地球上から拭い去られたであろう」と、ドイツの軍国主義への反対は、必然的にドイツ文化に対しても反対することを意味すると過敏に反駁した。「神聖なゲーテ、ベートーベン、カントの正統性を保持する国民、すなわち文明化された一国民として正しくその目的のために闘うべきだと主張する我々を信じよ」と、文化の伝統を誇りつつ、ドイツの軍国主義を高らかに擁護したのである。

このマニフェストには、それ以前のノーベル賞受賞者である、レントゲン（一九〇一）、ベーリング（一九〇一）、フィッシャー（一九〇二）、レーナルト（一九〇五）、バイヤー（一九〇五）、エールリッヒ（一九〇八）、オストヴァルト（一九〇九）、ヴィーン（一九一一）が名を連ね、それ以後の受賞者としてヴィルシュテッター（一九一五）、ハーバー（一九一八）、プランク（一九一八）、ネルンスト（一九二〇）が含まれている（いずれもカッコ内は受賞年）。それ以外に、ヘッケル（生物学）、ハルナック（神学）、ハウプトマン（文学）、クライン（数学）、ズーダーマン（劇作家、起草者）、ワーグナー（作曲家）、ラインハルト（演出家）など、各分野の錚々たる著名人が署名している。

しかし、このマニフェストは、イギリスの文化人たちが発した声明に対して短絡的に反発したものであったせいか軽はずみで、ドイツの歴史的汚点と言われるものとなってしまった。例えば、マックス・プランクとエミール・フィッシャーは、「存亡をかけた戦争を戦っているのだから、統一されていなければならない」として文化人の絆を保つために、宣言の文章を読まずに署名をしたらしい。[2]そのことを反省したプランクは、翌年ただ一人署名を取り消し謝罪する勇気の持ち主であったことは言っておくべきだろう。

この九三人のマニフェストに続いて、一〇月一六日には「ドイツ帝国大学声明」が出されている。マニフェストと同趣旨で、「世界大戦はドイツ文化の防衛戦争であり、さらにヨーロッパ文化全体を救済するためには、ドイツ軍国主義が勝利しなければならない」と、再度ドイツ帝国の高揚を願望して出されたものである。ドイツ帝国内の大学教員のほぼ全員にあたるおよそ三〇〇〇人が署名している。

これに返答するかのように、一〇月二一日に、今度は大英帝国の大学人一一七人が連名で「ドイツ大学人への返答」を発表した。そこでは、ベルギーのルーヴェンカトリック大学図書館やフランスのランス・ノートルダム大聖堂に砲撃を加えたドイツを厳しく非難し、ドイツ軍国主義とドイツの学会がヨーロッパと法治主義の共通の敵となったと糾弾している。そして、平和を愛するイギリスは、自由と平和のための防衛戦争を戦うことを誓ったのである。これには、医学者のロス（一九〇二）、物理学者のラムゼー（一九〇四）、レーリー卿（一九〇四）、J・J・トムソン（一九〇六）が署名している（いずれもカッコ内はノーベル賞受賞年）。

これらのイギリスとドイツの知識人・文化人・大学人挙げての「宣言」の応酬は、自国の正しさを自明とし、いずれも正義のための戦争であることを強調したのであった。アインシュタインはオランダの信頼できる科学者であるローレンツへの一九一五年八月二日付きの手紙で[3]、「偉大な徳を備えた人たちの間にさえも、偏狭な民族主義の傾向があるのには、いたく失望しました。また私は、政治的に進歩した国々に対して、私がかつて抱いた大きな尊敬の念も、大変低下したことも申し上げなければなりません」と書いている。信頼し尊敬していた知識人が、いざ戦争に遭遇すると視野の狭い愛国主義者になってしまうことに失望したのである。

不成功に終わった「ニコライ＝アインシュタイン宣言」

同じ一〇月に、ベルリン大学の生理学の私講師であるゲオルグ・フリードリヒ・ニコライが「ヨーロッパ人への宣言」を起草して回付した。これに署名したのが、アインシュタインと天文学者のヴィルヘルム・フェルスター（彼は九三人のマニフェストにも署名している）と研究生の（後に新聞記者となった）オットー・ビュックのみであった（そのためか、この宣言は数年後まで公にされることがなく、回付された正確な日を特定することができない）。

この宣言では、「文化的協力をこれほど完全に打ち破った戦争は、前代未聞である。（…）国家主義的情熱も、世界がこれまで文化と呼んできたものには値しない。この態度に口実を与えることはできない。この精神が知識人の間で一般的な潮流となったとすれば、それは重大な不幸と言えよう。それは文化そのものを危殆に陥れるのみではない。その保護のためにこの野蛮な戦争が行われることになった。当の諸国民の存在そのものさえ、危険にさらすことになるに違いない」[4]

と、始まったばかりの戦争を厳しく弾劾している。

さらに重要な点は、「この戦争でおきたヨーロッパの不安定で流動する情況を、この大陸の有機的な全体に融合するように役立てねばならない。（…）われわれの唯一の目的は、ヨーロッパがその土地、住民、そしてその文化を護るために一体とならねばならない時が来たという、深い信念を確認することである。われわれは、ヨーロッパ統合に対するわれわれの信念を公に宣言する。（…）われわれは、ヨーロッパ連盟を組織するよう努力しよう。この連盟は声を高くし、行動を起こすことになろう」と、早くもこの段階でヨーロッパの統合を打ち出していることだ。まさしく「ヨーロッパ人への宣言」を目指していたのである。戦争を抑止し、文化を護るためには、国家の壁を壊して統合していくことが重要であると述べており、その先見性には驚かざるを得ない。

権力者は、先見的な人間を畏怖する。ニコライはこの宣言の首謀者として政府に睨まれ、直ちに軍医として伝染病院に転任させられ、挙句の果てに要塞に幽閉されることになった。彼はこの仕打ちに負けることなく、その困難な時期に講義の草稿を整理して『戦争の生物学』としてまとめ、友人たちがこれを持ち出して公刊することとなった。帝政ドイツは、この本は反戦を煽る危険書だとしてニコライを禁固刑に処し、獄に投じたのであった。その後、友人の奔走によって彼はデンマークに脱出することに成功し、帝政ドイツの崩壊とともにやっと帰国することができた、という劇的で苛烈な運命が待っていたという物語がある。

アインシュタインとロマン・ロラン

一九一四年当時、アインシュタインは一般相対性理論構築の最終段階の研究に熱中していたのだが、並行して一一月には「新祖国同盟」と呼ぶ平和団体の結成に関係している。この団体は、未来の戦争を不可能とするために超国家主義的な組織を確立することを目的としており、最初の小冊子は『ヨーロッパ合衆国の創造』と名付けられていた。「ヨーロッパ人への宣言」で書かれた内容の真髄をそのまま体現している。これからも、アインシュタインは、生涯、世界の政治的統合を夢見た平和主義者であったことがよくわかる。

アインシュタインが面識のないロマン・ロランに宛てて最初の手紙を書いたのは一九一五年三月二二日であった。新祖国同盟を通じて絶対的平和主義者であるロランという人物の存在を知り、互いに協力し合えるのではないかと考えて誼（よしみ）を通じたのである。敵対関係にあったフランス（ロラン）とドイツ（アインシュタイン）の友好関係回復の第一歩との期待もあったのだろう。九月一六日には、アインシュタインはわざわざスイスのヴヴェイに住むロランを訪ねて意見交換し、以後永続する友情の基礎を固めた。ロランは日記にアインシュタインの印象を、「一般的にいって卑屈な知識人の中にあって、依然、自治を保持している数少ない人々と同様、彼（アインシュタイン）はむしろ自分自身の属する国民の最も悪い顔を見、その国の敵におとらず厳格に、判断するようになっている」(5)と書いている。

ロランは一九一七年八月二一日付きのアインシュタイン宛の手紙で「私は、ニコライ教授の注目すべき著書（『戦争の生物学』）を、熱中して読みました。彼はあなたの友人だと思います。どうぞ、私がどんなに彼の本を愛読しているかを知らせてあげてください。（…）すさまじい時代に、このような偉大で自由で清澄な魂に出合うことは、素晴らしいことです」と書き送っている。[6]実際、ロランはエッセイ集『先駆者たち』に「偉大なるヨーロッパ人――G・F・ニコライ」と題するニコライに関する評伝を書き[7]（一九一七年一〇月）、さらにニコライの『戦争の生物学』の序文まで書いている（一九一八年八月）。

この序文でロランは、「ニコライ博士の大貢献は、唯彼が何ら世の力に屈伏しなかったその高尚な意見を示してくれたばかりではない。自由のために奉仕する彼の理性が私にもたらしたところのその説明にある。即ち彼の理性が私たちの時代の毒されている詭弁や偏見に向かって戦った点にある。（…）新理想主義及び知識と愛とに基づいて人間の友情の新しい神聖な力に信頼し、次には一の生命ある有機的事実としてすべて健全な人の意識に内在する人道に信頼すること、これらが彼の療法である」と、ニコライの人間性や思想に対する真摯で信頼できる態度を格調高く評価している。よほどニコライの勇気ある行動と理想を掲げて仕上げた著作に大きな感動を得たのだろう。

そして、たった四人の署名で終わった「ヨーロッパ人への宣言」の失敗を雪ごうとの意図があったに違いない、一九一九年春にロマン・ロランが起草者となって展開したのがマニフェスト「精神の独立宣言[8]」であった。この宣言は、「分断されていた世界中に散らばっている仲間たちよ。

国境が再開されようとするこの時点において、われわれの兄弟的結合――以前に存在したものより強固な、いっそう確実な新しい結合――をつくりあげるために、われわれはあなたたち（「精神」労働者）に訴える」との呼びかけで始まっている。そして、「荒れ狂う諸力に理性が屈服した」こと、「人間同士の理解を破壊するために働いた」ことを省みて、「これらの妥協から、これらの屈辱的な同盟から、これら隠された隷属から、「精神」を救い出そうではないか！」と訴え、「われわれの義務は、一定の視点を維持し、夜のなかの諸情念の渦のただなかで、北極星を指し示すことである」と宣言する。北極星とは「自由な、国境なく、限界なく、人種や階級の偏見のない「真理」」のことであり、「われわれは「ユマニテ」（人類・人間性）全体のために働く」ことを誓ったのである。

この宣言には、ニコライとアインシュタインはもとより、バートランド・ラッセル（英）、ヘルマン・ヘッセ（独）、ラビンドラナート・タゴール（印）、アプトン・シンクレア（米）、アンリ・バルビュス（仏）、エルネスト・ブロッホ（端西）、マキシム・ゴーリキー（露）など、世界中の文化人一〇〇名以上の署名を得ており、一九一九年六月二六日に『ユマニテ』紙に発表された。このマニフェストの表題「精神の独立」とは、「精神」が何ものにも捕らわれることなく自由に羽ばたいていくことを求め、そのためには「精神労働者（知識人）」が権力から独立しており、常に「真理」を求めて理性的に行動すべきと宣言する。このマニフェストは、現代においてもなお通じる普遍性を有している。

アインシュタインとロマン・ロランの齟齬の発端

互いに平和主義者と信じ合って親しく付き合っていた、アインシュタインとロマン・ロランとの間に生じた齟齬の発端について述べておこう。一九三〇年一二月一四日、ニューヨークのリッツ・カールトンホテルで行われた「ニュー・ヒストリー・ソサエティ」の会合でアインシュタインが講演を行った。その講演で、彼は「平和主義の目的は、他の人々に戦争が不道徳であることを確信せしめること、そして兵役という恥ずべき奴隷状態を、この世界から一掃することでなければならない」と述べている。そして、その方法として「第一に戦争に対する抵抗、および兵役拒否です」と言い、「ほんの二パーセントが戦争拒否を言明する」だけで政府は何もできないだろうと述べた(9)。

これに対し、ロランは「道徳的義務の平面から、実用の平面に移されるなら、アインシュタインの見方には大いに論議の余地がある」とした。二パーセントの世界の人々が戦うことを拒否しても戦争はなくならない、大規模の組織された行動が必要であるとロランは考えたからだ。アインシュタインは科学の領域からはみ出ると、実際的でなくなる傾向があることにロランは不満を覚えたようなのである(10)。

以後、絶対的な平和主義者であるロマン・ロランと献身的な平和主義者を自称するアインシュタインとの間で、平和戦略について少しずつ道が別れていく。それはまた別の機会に譲るが、平和主義の陣営をいかに強固にするかは永遠の課題なのだろう。

アインシュタインの日本訪問――山本宣治への推薦

ニコライの著書『戦争の生物学』に魅せられ、ドイツ語版の大冊を翻訳したのが山本宣治（やまもとせんじ）（通称、山宣）である。一八八九年生まれの山宣は、熱心なクリスチャンで非戦論者の両親の下に生まれた。一八歳のときにカナダのバンクーバーに渡って苦学しながら外国語教育を受け、その間に『共産党宣言』などを読んで社会主義者になり、『種の起源』などを読んで進化論の生物学を学んでいる。二二歳で帰国後、第三高校を経て東京帝大の動物学教室に入学し、卒業研究に「イモリの精子発達」を書いて卒業した。その後、京都帝大大学院に入り一九二一年に京都帝大医学部の講師となっている。彼が一貫して興味を持って研究したのが性科学・性教育の分野であった。

山宣は一九二二年三月に日本を訪れたマーガレット・サンガーの講演の通訳をして、産児制限運動に共鳴して打ち込むようになり、彼女の講演要旨をパンフレットにして『女子家族制限法批判』を作って、数万部を日本中に普及させたそうである。以来、山宣は日本の性教育・産児制限を唱導する先駆者となった。同じ一九二二年一一月から一二月にかけてアインシュタインが日本を訪問したのだが、そのときにニコライの『戦争の生物学』とアインシュタインと山宣を結ぶ繋がりが生じたのである。

山宣は東京帝大の学生時代の頃にニコライの著作の英語版 *The Biology of War*（1919）を読んで感激したのだが、これが不完全な旧版による英語訳であることを知って、ドイツ語の正版 *Die Biologie des Krieges*（1919）を手に入れて翻訳を進めていた。そして、ちょうど一九二二年頃、『戦争進化の生物学的批判』とする書名で上巻の出版の準備をしていたのであった（下巻は、一九二九年に山宣が暗殺された後に、従弟の安田徳太郎によって未完成部分を補って出版された）。

そこで山宣は、ニコライと親しく、相対論で世界的に有名なアインシュタインから、ニコライの著書について推薦の一文を書いてもらうということを考えた。これには既に述べたようにロマン・ロランの序文も付いている。さらにアインシュタインの推薦文が得られれば、本の販売に有利であろうとの計算があったらしい。

一九二二年一二月一〇日に京都で講演したアインシュタインを都ホテルに訪ねて、山宣は図々しくも序文の執筆を依頼したのである。初めアインシュタインは、自分の専門以外の著書に序文や推薦文をつけたことがないと渋っていたのだが、山宣から「平和運動のために」と熱く懇願されてついに引き受けることになったらしい[11]。したたかな山宣の戦略と言えよう。こうして山宣は、「戦争は無意味であり、しかしてその戦争を防止するための或国際的組織が必要であるという信念を普及することが、今日の政治的著述の最も重大なる任務であると私は考える。この見地よりして、私は衷心より本書の普及を悦ぶものである。本書がかかる問題に対して実に多方面なかつ深刻な刺激を惹起（ひきおこ）し得るものであり、歴史によって累積したる死太（しぶと）い偏見を打破するに適した著述であるがために」という推薦文を首尾よくアインシュタインから得たのであった[12]。

註

（1）潮木守一『ドイツ近代科学を支えた官僚──影の文部大臣アルトホーフ』中公新書、一九九三年。

（2）オットー・ネーサン＋ハインツ・ノーデン編『アインシュタイン平和書簡Ⅰ』金子敏男訳、みすず書房、一九七四年、一一頁。

（3）同前、一三頁。

（4）同前、五─六頁。

（5）同前、一七頁。

（6）同前、二三頁。

（7）ロマン・ロラン「先駆者たち」『ロマン・ロラン全集 第18巻』宮本正清他訳、みすず書房、一九五九年、二四四頁「二四　偉大なヨーロッパ人──G＝F・ニコライ」。なお、同書二七三頁「二五　ヨーロッパ人への訴え」でも「ニコライ＝アインシュタイン宣言」を含むニコライの行動について述べている。

（8）同前、三〇二頁。

（9）同前、一二九頁。

（10）同前、一九〇頁。

（11）金子務『アインシュタイン・ショックⅡ──日本の文化と思想への衝撃』岩波現代文庫、二〇〇五年、一五三頁。

（12）佐々木敏二＋小田切明徳編『山本宣治全集　第4巻』汐文社、一九七九年。ここには、アインシュタインの推薦文、ロマン・ロランの序文、93人のマニフェスト、「ヨーロッパ人への宣言」、『戦争と生物学』の全訳、が収録されている。

第2章　ナチスドイツとＪＡＳＯＮから見えるもの

ここ数年、日本の学術界は「軍学共同」問題が持ち上がり、大きな問題になりつつある。軍学共同とは、「軍」セクターである防衛省と「学」セクターである大学・研究開発法人の研究所（以下、大学等）が軍事装備品の開発にかかわる情報交換・研究提案・共同研究・開発研究の実施などを行うことで、単純に言えば大学等が軍事研究に携わっていくことと定義しよう。日本では日本学術会議の二度にわたる「戦争のための研究には従事しない」との声明の発表もあり、少なくとも公式には大学等は軍事研究に携わることがなかったのである。

ところが、二〇一五年に防衛装備庁が「安全保障技術研究推進制度」を創設して大学等の研究者を対象とした競争的資金制度（委託研究制度）を開始したことで、軍学共同がおおっぴらに始まることになった。

そこでここでは、少し視野を広げて歴史的な観点で科学者の軍事研究についてまとめることにする。

一つは、ナチスドイツ時代においてノーベル物理学賞を受賞した三人の高名な科学者を取り上げて、彼らの三人三様の軍事研究とのかかわりについての話題である。ナチスドイツについては、ユダヤ人撲滅計画や優生学の強要など非科学的で野蛮な行動という先入観があると思うが（それはそれで正しいのだが）、他方では原爆開発やV２ロケットの開発など科学的な立場から軍事開発を行い、それに高名な物理学者が動員されて侵略戦争に協力してきた事が知られている。その過程で、多くの科学者・技術者がどのような態度を採ってきたかを振り返ってみよう。科学と国家の関係を考えるうえで、ナチス時代のドイツの科学者・技術者が採った態度は、現在の私たちに通じる側面が多々あるためである。

もう一つは、アメリカで多数のノーベル賞受賞者をはじめ著名な科学者が参加したＪＡＳＯＮと呼ぶ機関についての話題を取り上げる。ＪＡＳＯＮは政府や軍当局のための秘密のブレーン組織で、軍事戦略や戦争の戦術について秘密報告という形で提案してきた。例えば、ベトナム戦争で蝶々爆弾（現在のクラスター爆弾）の製作を提案し、核兵器の使用を勧告したこともある。天文学に関係深いのは補償光学を立案したことであろうか。むろん天文学研究のためではなく、望遠鏡を使ってスパイ衛星を検出するための新手法として提案したものであった。

ＪＡＳＯＮというような組織は今の日本にはなく、私たちには無縁と思われるかもしれないが、科学者が軍事研究にコミットするのが当たり前となれば、このような科学者集団が出現するようになる可能性がある。軍産学共同体が大きな力をもち、テクノクラートが政治を支配するようになりかねないからだ。

最後に、科学と軍事研究、あるいは天文学と軍事のかかわりについて私なりの考えを書いておこうと思う。天文学は宇宙から来る非常に微弱な信号を検出すること、あるいはまだ実用化されていない波長帯へと観測の前線を拡大することに常に挑戦しているが、それは、ややもすれば軍事技術の開発に直結するから、決して軍事研究とは無縁ではない。だからこそ、自分の研究を広い視点から見つめ直し、開発当事者としての責任を自覚して、平和のため文化のためにのみ尽くす研究を続けていって欲しいと願っている。

科学者と軍事

科学者と軍事（戦争）のかかわりについては数多くの本が出版されている。本題に入る前に、これに対するコメントをしておこう。私の手元にある本だけでも、アーネスト・ヴォルクマン『戦争の科学』（主婦の友社、二〇〇三年）、バリー・パーカー『戦争の物理学』（白揚社、二〇一六年）、トマス・J・クローウェル『戦争と科学者』（原書房、二〇一二年）、ジョン・コーンウェル『ヒトラーの科学者たち』（作品社、二〇一五年）、フィリップ・ボール『ヒトラーと物理学者たち』（岩波書店、二〇一六年）などがある。いずれも科学者が国家に仕えて軍事研究に打ち込み、新兵器の開発に協力して武器の殺傷力を向上させるのに力を尽くしたことが詳しく書かれている。

それらの記述の中で私を強く刺激した言葉は、「戦争が科学技術を進化させた」と「物理学（科学技術）が兵器開発に重要な役割を果たした」の二つである。前者は、戦争（あるいは軍事研究）が科学技術の発展の原動力であるとか、「戦争（軍事）は発明の母」という考えにつながっていることは明らかだろう。あたかも戦争（軍事研究）が科学や技術の発展・進化を促すかのような捉え方で、科学技術が進歩してきたのは戦争のおかげということになってしまう。他方、後者は戦争と科学技術の順を逆にして、物理学（科学技術）が兵器開発（つまり戦争）には不可欠であったと言っている。物理学という学問があればこそ、戦争のための武器が多様に開発できたのだから、物理学者とは自分の知識を武器の開発に使う人間ということになる（むろん、ここでは「科学技術」と一言で呼んでいるが、科学と技術は本来異なったものであり、ここで言う科学技術とは技術のことにほかならないのは確かだが、技術の背景には科学の原理や法則があるから、単純に割り切れるわけではない）。

ここで私が言いたいことは、科学技術（あるいは物理学）は武器（軍事）開発と不可分の関係にあり、一歩間違えば人間の殺傷に大きな力を発揮してしまう、科学者はそのような「原罪」を背負っていると考えるべき、ということである。役に立たない学問の代表である天文学も例外ではない。といっても大げさに考えることではなく、私たちの研究はもろ刃の剣であることを意識し、その使い方については常に倫理に立ち戻ることが大事、ということなのである。

ナチスドイツの三人の科学者

私は、前節に挙げた『ヒトラーと物理学者たち』の翻訳を手掛けたのだが、この本からナチスドイツ時代の科学について多くのことを知ることができたのは幸いであった。

よく知られているように、ナチスは暴力で権力の座に就いたわけではなく選挙によって選ばれて政権を取った。そして、政権を取ってからの国会運営は少数政党や反対政党を弾圧し、多数派のゴリ押しであったにせよ、ユダヤ人絶滅法も国会の決議という形で通してきた。つまり形式としてはあくまで「合法的」であったわけである。また、国家の科学技術政策に関しても、ヒトラーの常軌を逸した決定がときどき出てはくるが、極端に異常なものであったというわけではない。ドイツは、少なくともナチスが侵略戦争を起こして国家を破滅させるまでは科学の先進国であり、その伝統はナチス時代まで続いていたと言うべきだろう。

例の、フィリップ・レーナルト（一九〇五年 ノーベル物理学賞）とヨハネス・シュタルク（一九一九年 ノーベル物理学賞）が先導（扇動でもあった）し、相対論や量子論を否定した「アーリア物理学」は、ナチスの加護を得てそれなりに広がりはしたのだが、結局学会全体を制覇することにはならなかった。自然科学（物理学）は実証性が生命であり、それに欠けた学問は政治的な支持はあっても、当然ながら科学としての信用を勝ち取ることができなかったのである。だから、ナチス時代にあってもドイツの物理学分野では、マックス・プランク（一九一八年 ノーベル物理学賞）、ヴェルナー・ハイゼンベルグ（一九三二年 ノーベル物理学賞）、ピーター・デバイ（国籍はオランダ、一九三六年ノーベル化学賞）の優れた三人の物理学者が、主要なポスト（カイザー・ヴィルヘルム協会総裁、ドイツ物理学会会長、カイザー・ヴィルヘルム物理学研究所所長など）を占めたのである。言い換えれば、彼ら三人の対応がナチスドイツにおける物理学と国家の関係に大きな影響を与えたことになる。そこで、この三人とナチスドイツとの軍事研究へのかかわりをまとめておこう。

プランクの場合

プランクは、極めて温厚かつ高潔な性格で、同僚たちが「その良心の非の打ちどころのない純粋さ」を褒めたように、個人として尊敬できる人物であることは確かである。他方、彼はドイツの科学者の形式論理を重んじる伝統主義を引き継ぎ、国家の誇りを強く抱き忠誠を誓う愛国主義者でもあり、法と規律には厳格に従うという典型的な伝統的ドイツ人であった。ある伝記作家は「法の尊重、既設の諸制度への信頼、義務の遵守、そして申し分のない誠実さがプランクの性格の美質であった」と書いている。

彼は反ユダヤ主義政党を支持しており、ドイツ純粋主義の信奉者でもあった。彼はドイツの軍事行為を支持し、ベルギーで引き起こされたドイツ軍の残虐行為を否定する一九一四年に出された不名誉な教授団声明「文化世界への訴え」に署名した（これにはレントゲンやオストヴァルトやネルンストたちも署名していた）のだが、後に誤りと認めて公式に撤回するという勇気の持ち主でもあった。彼は正義にもとる行為にはガマンがならなかったのである。

プランクは黒体放射の公式による量子論の発見者なのだが、彼が大発見したもう一つはアインシュタインだと言われるように、アインシュタインの一九〇五年の特殊相対論の発表以来、ずっとこの理論とアインシュタインを支持し励まし続けた。また、プランクは当時女性が高い教育を受けられない状況にあったことに抗議していた。あくまで学問に対して誠実であろうとしたのである。

他方、彼はナチスドイツが支配する政治状況に対して、「悪法も法である」とする意見の持ち主であった。例えば、選挙で選ばれた議員が多数派になって国会で決定したユダヤ人絶滅法等の悪法などについても、形式的な手続きが満たされていることから、従わねばならないという態度であったのだ。この考え方は多くのドイツ人科学者から支持され、ユダヤ人差別を容認し、軍国主義化していくナチスに追随し、積極的に軍事研究に邁進していくことにつながっていた。国家が決めたのだから仕方がないとして。

この考え方は私たち現代の科学者に無縁であるとは言えないだろう。軍事研究が国家の方針であるかのように大学等に入り込む状況になりつつあるからだ。一番の問題は、形式的な手続きが満たされて定められたのなら「悪法も法」として従わねばならないか、それとも異議申し立てをして不服従を貫くか、ではないだろうか。大学における軍事研究の問題はこのことをどう考えるかにつながっている。

ハイゼンベルグの場合

一方、ハイゼンベルグには愛国主義とドイツ人としての義務の意識についてはプランクと共通していたのだが、伝統に対してはプランクほどの思い入れをもっていなかったようである。彼が青年期を過ごしたのは第一次世界大戦の期間中・期間後であり、その戦争に敗れて膨大な賠償金を背負わされるという状況に遭遇して、もはやドイツ伝統主義に頼ることはできないと覚ったのではないかと思われる。とはいえ、ドイツ精神の復活という希望(やがて野望に変わっていく)の下、自然や友情へのロマンティックな愛着を讃える青年運動や哲学的思考に強い愛着を覚えるようになっていった。実際、彼が書き残した著作の多くには哲学的思念が満ちている。

彼は既存の理論に疑念を投げかけるとともに、量子論や相対論という新しい物理学に魅せられて、ドイツ科学を革新して再び世界の中心になることを夢見るようになっていった。三一歳という非常に若くしてノーベル賞を受賞したときはまだ無名であり、相対論を支持していたためナチスには疑いの目で見られ、「白いユダヤ人」と呼ばれて排撃されそうになった歴史がある。おそらくそのような経験があったためなのだろうが、ナチスの体制に順応してしまうことを警戒しつつも、公的に認められることを望んで協力することにやぶさかではなかった。

事実、ウランの核分裂と連鎖反応の可能性がオットー・ハーンとフリッツ・シュトラウスマンの実験によって示唆される(一九三八年一二月)や、一九三九年の四月にはウランクラブがナチスの当局者によって招集され、ハイゼンベルグがそのグループの中心となることが決定された。

当時のハイゼンベルグのメモによれば、戦車や潜水艦の熱源となるのみではなく、既存の爆発物の一〇倍以上強力な爆発物となると書いている。ここで、ナチスは「科学を戦争のために利用」しようとしていたのに対し、ハイゼンベルグは「戦争を科学のために利用」しようと考えたのではないかと言われる。この機会を捉えて再びドイツを世界の科学の中心地にするのだ、というわけである。

彼は盟友のワイツゼッカーとともに一九四一年にデンマークの「文化的」な説得のためにコペンハーゲンを訪れたとき、師匠であったボーアと二人きりで会ったという記録がある。マイケル・フレインの戯曲『コペンハーゲン』には、そのときにどんなことが話し合われたかの推測が述べられているが、ボーアが猛烈に腹を立てたということ以外には、二人が沈黙を守っていたため誰にもその詳細はわからないままであった。ボーアが亡くなって公開された書簡によれば、やがてドイツがヨーロッパ全体を征服するだろうからデンマークも従うべきだとハイゼンベルグがボーアに示唆したようであった。つまり、ハイゼンベルグはナチスの勝利を信じており、それをドイツ科学の復活のために最大限に生かそうと考えたのである。

この「軍事力を利用して科学を発展させる」とのハイゼンベルグの考えは多くのドイツ科学者の支持を受けたのは事実である。ナチスに協力する軍事研究であっても、これは科学のためだからと言い訳できたためだ。事実、戦後彼らが戦争責任を問われたとき、自分たちは無罪だと異口同音に答えたそうである。これは、私たち現代の科学者にも適用できるのではないかと思う。軍事研究可否についてのアンケート[1]を取ると、たとえ軍からの金であっても研究費が増えるからいい、軍事研究であっても将来民生利用すればいい、科学が発展するからいい、という意見が多く見られるためである。さて、それでいいのだろうか。

デバイの場合

プランクやハイゼンベルグに比べてデバイの人となりについてはあまりよく知られていないが、物理化学の分野では多くの優れた業績を残している有能な研究者である。彼はオランダのマーストリヒト出身で、労働者階級出身であったため電気工学の専門学校へ行ったのだが、そこで優秀な教師兼研究者であるアーノルド・ゾンマーフェルトに出会ったことから研究者の道に入ったという経歴の持ち主であった。彼は文化的な意味においてドイツに強い親近感を抱いており、その後のキャリアはドイツ（とスイス）の一流の大学で研鑽を積んで頭角を現した。実験家としての鋭さも兼ね備えた理論家として、デバイ半径とかデバイ近似とかデバイ模型など、『物理学辞典』には彼の名が付く項目が一〇以上も並んでいる。彼はさまざまな分野に首を突っ込み、そのいずれにも卓越した業績を残している「科学の達人」とも言える人物と言える。

彼は一九三四年にカイザー・ヴィルヘルム研究所の所長に任命され、その研究所の名前としてナチスから嫌われていたマックス・プランクの名前を付けるように画策した。彼はナチスに逆らうことをあまり気にしなかったのである。ところが、一九三七年にドイツ物理学会会長に選出されたとき、物理学会に在籍している数少ないユダヤ人たちに対して退会を勧告する手紙を書き送っている。デバイはナチスドイツに妥協することも厭わなかったのだ（彼は後にユダヤ人会員に謝っているが）。

また一方、ユダヤ人狩りが厳しくなったことでリーゼ・マイトナーの身に危険が迫ったとき、デバイはハーンとともに彼女をドイツから脱出させることに力を尽くしたことも知られている。

というわけで、デバイは複雑な人格の持ち主に見えるが、実際にはとにかく科学が第一であり、その他のことではあまり詳細にこだわらない日和見主義者であったと思われる。彼はオランダ国籍であることに固執してドイツ人になることを拒んだのだが、それは多くの国の人間が自由に行きかうオランダの風土を愛し、ドイツ的な愛国主義を強要されること嫌ったためのようである。

一九四〇年にドイツからアメリカへ出国してコーネル大学に着任するのだが、自分がドイツに帰る可能性があることをほのめかしてカイザー・ヴィルヘルム物理学研究所所長を辞任する申し出をしていない。自分が作り上げた研究所に強い愛着をもち、さらに官舎と給料を手放したくなかったためらしい。彼が非常にドライであったことが窺える。コーネルでは、若手の研究者の相談に乗り、新しい課題に挑戦し、自由を満喫していたと伝えられているが、彼は徹底して「科学の人」であった。

ナチスと衝突することなく巧くやり過ごし、したたかに科学研究を続ける道を選んだデバイに対して共感する現代の科学者も多いかもしれない。しかし、科学者は自分の楽しみのみを考え、自分さえ研究できればいい人間である、というふうに矮小化されてしまうのではないかと思う。

以上、ナチス時代を生きた三人の科学者の生き様を紹介したが、彼らの生き方は現代にも通じるということがわかると思う。自分の生き方と重ね合わせて考えて欲しい。

JASONの歴史

ここでガラリと話題を変えて、アメリカに存在する秘密の科学者集団「JASON」のことを取り上げよう。公的には秘密組織であるため、正確にいつ組織されたのか不明なのだが、一九六〇年頃にARPA（高等研究計画局）がスポンサーとなって発足したようである。そのARPAは、一九五七年に旧ソ連が人工衛星のスプートニクを世界最初に飛翔させたことから、先を越されたアメリカが科学技術の教育・研究体制を強化するためにNASA（アメリカ航空宇宙局）とともに創設した組織である。その後、国防総省が上部機関となって軍事利用を目的とする新技術開発に資金提供するDARPA（国防高等研究計画局）となり、もっぱら軍事研究を介した技術開発が主な目的となった。国家の安全保障のための軍事色の強い科学者集団の組織化を図ったのである。

JASONは、第二次世界大戦中にマンハッタン計画に参加した物理学者三〇人ほどから始まり、折しもアメリカが本格的に参戦し始めたベトナム戦争にかかわる戦術・戦略を軍当局や政府に対して「秘密報告」として提言することが目的であった。原爆の製造やレーダー開発など第二次世界大戦において大いなる功績を上げた物理学者たちが、さらに国家や軍に恩を売ってその存在意義を強調しようと画策してできた組織とも言える。そのためか、ＪＡＳＯＮに参加する科学者は高名でなければならず、その提言は秘密報告がほとんどだから、国家の要人以外にはＪＡＳＯＮのことは知らされていない。

ＪＡＳＯＮの名の由来は、金の羊毛を求めてアルゴー船を率いて異国に遠征したイアソンにあるらしい。夏休みの七月（July）に会合が始まり、八月（August）、九月（September）、一〇月（October）と議論を重ねて一一月（November）にようやく報告書を提出する組織だから、という説もある。ただしそれは茶化した言い方で、秘密組織らしく煙幕を張っているのだと思われる。

ベトナム戦争でＪＡＳＯＮが提案したことが判明している軍事作戦として以下のようなものがある。ボール爆弾やパイナップル爆弾（これらは親子爆弾とか蝶々爆弾と言われ、最後にクラスター爆弾となった）など殺傷力の強い残忍な武器を考案して採用させたこと。また、電子バリアと称する電波を発する金属棒を多数ジャングルに撒き、ベトコンがどのように移動するかを探ろうとしたこと（これは、すぐにゲリラたちに察知されて不成功に終わったようだ）。また、ダナン攻防の際には戦術核の使用提案も行ったことはよく知られている。レーザーや赤外線を使った誘導爆弾や枯葉剤散布作戦もＪＡＳＯＮの提案とされている。(2)

JASONのメンバー

JASONの組織は現在もなお継続されているが、二〇〇四年にDARPAと確執を起こして組織替えを行ったらしい。それまではスポンサーであるDARPAの干渉を一切排除して自分たちだけの意向で組織運営（後任の推薦、検討課題、提言内容の文書化など）を行ってきたのだが、DARPAから物理学者だけでなく生物学や環境学などもっと幅広い研究者を含めるべきだと強い意見が出されたのだ。戦いが実際の戦場のみに閉じず、より広範な場面で全面的な展開を期待されるようになったことから、ハードな物理的手法からソフトな生命や情報などさまざまな科学の分野の研究者で組織すべきということなのだろう。

以後、JASONのメンバーには生物学者・海洋学者・環境や情報の科学者などが加わって三〇人から五〇人の大所帯になり、直接軍事にかかわらない地球温暖化やサイバーセキュリティやゲノム解析などについても議論し報告書を提出するようになった。DARPAのみならず、DOD（国防総省）、DOE（エネルギー省）、CIA（中央情報局）、NASA（アメリカ航空宇宙局）、NRO（海軍研究局）などもスポンサーに加わるようになって、それらの機関から諮問を受けるようになったのだ。

ノーベル賞を受賞して名が知られているJASONメンバーとして、ハンス・ベーテ、ルイス・アルヴァレズ、チャールズ・タウンズ、マレー・ゲルマン、ヴァル・フィッチ、レオン・レーダーマン、スティーブン・ワインバーグ、ヘンリー・ケンドール、ユージン・ウィグナー、ドナルド・グレーザー、ジョシュア・レーダーバーグがいる（ほかに公表を拒否している者が三名）。また、ノーベル賞を受賞していないが著名な科学者として、フリーマン・ダイソン、ジョン・ホイーラー、シドニー・ドレル、エドワード・テラー、リチャード・ガーウィン、ウォルター・ムンク、マーシャル・ローゼンブルース、ウルフガング・パノフスキー、ジョージ・キスティアコウスキーなどがいる。インターネット情報だが、それ以外にもアメリカ国内の大学の物理学科の重鎮が多数含まれており、驚くほど多数の物理学者がＪＡＳＯＮに参加してきたことがわかってきた。ベーテやレーダーマンは平和主義者として知られているが、たとえ一時的であってもＪＡＳＯＮに加わったことに心の葛藤はなかったのか、興味あるところである。

ＪＡＳＯＮとの関係を聞かれたとき、名前を出してインタビューに応じる、匿名を条件にインタビューに応じる、匂わせるがはっきりとは言わない、一切公表しない、などといろいろなタイプの科学者がいるようである。フリーマン・ダイソンのように発足時から亡くなるまでずっとメンバーであった者はいるが、ほんの短期間だけメンバーであったがすぐに辞めてしまった者、一度退会してから再び加入した者、ＪＡＳＯＮであることがばれて市民から非難されたため辞任した者などさまざまである。二〇一〇年の調査では一一〇人の名前が挙がっている。ＪＡＳＯＮに参加する個人的な理由はいろいろだが、異口同音に報酬目的ではないと言っている（一日の日当は八五〇ドルで、著名な彼らにとっては安いのだろう）。つまり、国家の安全に寄与するという目的に共鳴したためと解釈できる。

JASONの提案

ＪＡＳＯＮメンバーの特権は国家や軍の極秘情報に接近できることで、情報秘密法に規定されている「機密情報の提供を受ける権利」を有する超エリートの待遇を受けられるのである。それによって武器等の技術的難問への「甘美な解決」が提案できるというわけだ。先のベトナム戦争時以外の提案で、ＪＡＳＯＮが立案して実行に移されたと明らかにされているものに以下のようなものがある。

①早期警戒衛星に搭載する赤外線センサー：核実験やミサイル発射の際に放出される赤外線をいち早くキャッチして警戒態勢を敷く。

②ピースキーパーミサイル：ミサイル弾道弾を多弾頭にし、各々が別の標的に向かうことを可能にして攻撃力を増強する。

③補償光学：光学望遠鏡に写った像からミサイル探知を可能とするため、空気の揺らぎを補正して像を構成する手法で、今や天文学では天体の同定のために広く使われている。

④常温核融合：マーティン・フライシュマンとスタンレー・ポンズが提唱した常温核融合の真偽を検証するテストの提案で、これが事実ならば国家のエネルギー政策を揺るがせるため関与した（事実でないことを示した）。

⑤地球温暖化モデル：現在生じている気候変動が地球温暖化によるものかどうかを明らかにするためで否定的見解を提出した。

⑥ＣＴＢＴ（包括的核実験禁止条約）の評価：アメリカはもはや核実験はシミュレーションで十分なレベルに達したので、この条約を承認することで他国の開発を阻止することができるとしている。

物理学的な問題のみではなく、組織替えと組織拡大をしたためか、さまざまな幅広い分野の問題にまで口出ししていることがわかる。

ＪＡＳＯＮをどう考えるか

ＪＡＳＯＮメンバーとしての主張、言いわけ、居直り、本音など、いろいろな言葉が残されているが、代表的なもののみを挙げておこう。

「国が困っているなら助けたいと思うのは当然だろう。愛国者であることは非難されることではないはずで、むしろ国の困難を知らぬふりをするのは人間として正しくない」「ＪＡＳＯＮの働きがなかったら、事態はもっと悪くなっていたことは確かで、称賛されるべきだ」「戦争に協力したと言われるが、被害が甚大ではない兵器に換えるように努めてきた。結果的に犠牲者の数を減らすことになった」「戦争に反対と言うだけではだめで、政策決定に関与することこそ科学者の責任を全うすることになる。政策決定の場から逃げて身を引くことは、権力に盲目的に追随するのと同様、本来の解決にはならない」「科学者としてアイデアを出しただけで、どう使われるか（使われたか）関知しないし、責任を問われる筋合いもない」

このＪＡＳＯＮという組織や役割について、同じ考えの個人が徒党を組んで政府や軍に働きかけてその知恵を生かすことは、個人の自由と生き方の選択に属することであり、そのこと自身は他人が否定できるものではない。また現体制を擁護して愛国的行動を取ること自身は非難できない。しかし、自分を安全な場に置いておいて、人を殺すことを厭わない軍事研究を平気で行うことの無神経さ、科学において高名であることを利用した権威主義的選民（エリート）思考、科学の結果がいかなる災厄をもたらすかについての想像力の欠如、そして自分が考案し提案した結果に対しての無責任など、このような態度は科学の名をおとしめることは確実であり、人々の科学者への信頼を裏切ることにつながるのは確実である。つまり、科学を裏切る行為としか言えないのではないか。

日本には、まだＪＡＳＯＮのような組織は存在していない。しかし、科学の軍事化が進むと、同じように振る舞う科学者が出現するようになるかもしれない。少なくとも、国家の苦難を救うとか、自然な愛国心の発露を言いわけにして軍事研究が当たり前になり、それがなぜ悪いと居直るようになるだろう。そうなると先のＪＡＳＯＮメンバーの言いわけと重なってしまう。「原爆は多数の兵士の命を救った」と、残虐な兵器を正当化して自分がしてきたことを棚上げしたのだから、あり得ることなのである。

一般に、科学者は新しい武器に関する技術上のアイデアが出ると夢中になって、それがどのような結果をもたらすか想像することを忘れてしまう傾向がある。その威力ばかりに目が行ってしまうのだ。そして、さらに効率的な方法はないかとどんどん深入りし、実に異様なことを考えている自分に気づかなくなる。たとえ武器であっても、「世界初」であるならそれを目指したくなるのが科学者の「業（ごう）」なのである。それが当然となって科学の軍事化がどんどん進むと、「何のための科学か、誰のための科学か」と問いかける科学の原点を忘れてしまう。言わば科学者の根本精神の喪失で、科学の軍事化の恐ろしい側面と言えるだろう。ＪＡＳＯＮは科学の軍事化の行き着く先を指し示しているのかもしれない。

天文学も無縁とは言えない

天文学研究は、直接金儲けにつながるとか、直ちに社会の役に立つという面は少ないのだが、軍事利用と結びつきやすいと言えることは確かである。まだ商業化されていない新技術開発であるからこそ秘密が保たれ、軍事に応用できることもある。ミリ波バンドでの軍事通信はもうすでに開発ターゲットになっているし、強力なレーザー光源は制御用回路を破壊する兵器として研究が進んでいる。もし防衛省から誘いがあった場合、どういう返事をするか考えておく必要がある。そのような助言をしたくなるくらい、軍事研究と天文学の装置開発とは接近している状況と言える。

基礎研究だからいいのではないかと思われるのかもしれないが、政府が使っている言葉の意味を知っておく必要がある。事実、「科学技術イノベーション総合戦略二〇一七」という科学技術基本計画をフォローする文章では、「研究者の内在的動機に基づく学術研究」と「社会的・経済的価値の創造に結びつける戦略的・要請的な基礎研究」となっている。つまり、研究の目的を限定せず大きな視点でじっくり取り組むのが学術研究であり、基礎研究はイノベーション創造のために戦略的に進めることが社会的・経済的に要請されている研究のことだと定義されているのである。これに従えば、防衛装備庁の要請に従って軍事開発を行う研究もレッキとした基礎研究にほかならない。基礎研究であれば軍事研究ではないと考えるのは間違いと言うべきである。「防衛装備品」が「武器または武器にかかわる技術」を意味するように、私たちが普段もっている言葉のイメージとは異なることに注意が必要だということだ。言葉の使い方にごまかされてしまうことになりかねないので要注意である。

いずれにしろ、天文学は基礎中の基礎の学問だから軍事研究とは無縁であると決して言えないと念を押しておきたい。

註

（1） 日本国家公務員労働組合連合会『Kokko：こっこう　第二五号』、堀之内出版会、二〇一七年

（2） Ann Finkbeiner. (2006), "*The Jasons: The Secret History of Science's Post war Elite*", Viking.

第3章　ファインマンとスペースシャトル事故調査

一九八六年一月二八日、スペースシャトル「チャレンジャー号」は、打ち上げの七三秒後に空中分解事故を起こし、七名の乗組員全員が死亡した[1]。この飛行に高校教師のクリスタ・マコーリフが同乗していて、飛行中にシャトルと地球をつなぐ「宇宙授業」が予定されていた。そのため打ち上げの様子はNASA-TVやCNNを通じて全米生中継をしており、授業を受けようとしていた学生たちは、チャレンジャー号が上昇するに従って尾部から水蒸気とガスが吹き出し、やがて機体が分解して軌道船が引き裂かれ、乗員室は丸ごと分離して自由落下していったという事故の一部始終を見ていた（その後、海面に激突して乗組員もろとも完全に破壊された）。スペースシャトルには脱出装置が設置されておらず、シャトルが動力飛行を行っている間は乗員の脱出は不可能であったのだ。NASAが「シャトルには高い信頼性が期待できるので脱出装置は不要」としていたためである。

実は、この事故が起こる一年前、シャトルの打ち上げを請け負っていたモートン・サイオコール社の技術者であるロジャー・ボイジョリーは、打ち上げロケットのブースターのパーツ間の接合部をふさぐOリングの周辺に大量の黒焦げになったグリースを見つけていた。合成ゴム製のOリングから漏れ出した高温の燃焼ガスのためにグリースが焦げた跡で、二次シールからもガスが漏れると燃料タンクに引火して爆発する恐れがあると判断し、直ちにこれらの発見を上司に報告していた。ボイジョリーは、打ち上げ時の気温が通常より低かったためにOリングの弾性が低下し、そのためシールの密閉力が低下して高温ガスが漏出したとの自分の推察を述べ、NASAのマーシャル宇宙センターの検討委員会でも詳細を説明していたのであった。

しかし、次の打ち上げは四月で気温は高くなっており、直ちに問題になることはなかった。ボイジョリーも推察に終わらせず、実際に低温が弾性に与える影響についてテストをして確かめ、サイオコール社の技術担当副社長のロバート・ルンドにその結果をメモとして書き送り、「この問題に対処しなければシャトルは爆発する」と自分の意見をはっきり伝えている。しかし、このメモは「社外秘」として扱われ、サイオコール社内に留めおかれてしまった。ボイジョリーは挫けることなく上司に訴え続けた結果、マーシャル宇宙センターでNASAとサイオコール社との話し合いが持たれたが、積極的に改善しようとの動きはなかった。NASAは予算の超過や計画の遅れで国民の批判を浴びており、また、サイオコール社は打ち上げ遅延でシャトル計画の仕事を失うことを危惧していて、どちらもボイジョリーの警告を積極的に取り上げようとしなかったのである。そして問題の一月二八日を迎えるのだが、その前日に打ち上げ地点の気温が非常に低いとの予報があり、ボイジョリーは同僚とともに技術担当副社長のルンドのところに行き、打ち上げを延期するよう意見を述べ、打ち上げの最終決定する場でそう主張するよう強く要請した。

　打ち上げ可否の最終決定のために、ＮＡＳＡのケネディ宇宙センターとマーシャル宇宙飛行センターとサイオコール社の三社を結ぶテレビ会議が開かれ、そこで技術者たちから出された慎重な判断に対してどう対処するかが話し合われたのだが、最終的にＮＡＳＡは判断をサイオコール社に委ねてしまった。そのためサイオコール社の幹部だけの議論になり、上級副社長のジュリー・メイソンは「われわれは経営的判断を下さなければならない」と言い、技術者の意見を支持していたルンド副社長のほうを向いて、「君はエンジニアの帽子を脱いで経営者の帽子を被りたまえ」と言った。そして、結局サイオコール社の四人の役員の賛成票で打ち上げることに同意し、ＮＡＳＡは何ら議論することなくこの勧告を受け入れたのであった。

　この場面は、ほとんどの技術倫理の教科書に使われており、技術者が自分の属する組織の論理と技術者としての職務倫理との相克をどう考え、どう対処すべきか、を考えさせる箇所である。組織の論理に歯向かえば馘首（かくしゅ）される危険性があるが、一方技術上の問題点を無視すれば人の命を奪うことになりかねない。そう簡単に答えは出せないが、常にそのような相克の上で行使されるのが技術であることを深く心に刻んで仕事に励まなければならない、との教訓を学ぶわけだ。また、一度経営者の帽子を被って問題が何も起こらねば、それに慣れて技術を疎かにしていく危険性も心に留めていなければならない。たまたま幸運で大事故にならなかっただけのこともあるからだ。

ＮＡＳＡは、シャトル計画で国民の支持を保とうとして、「宇宙授業」などでフライトを目に見える成果として宣伝し、翌日に予定されていたレーガン大統領の一般教書でお褒めの言葉を待ち望んでいたので、チャレンジャー号の打ち上げを延期したくなかった。サイオコール社もＮＡＳＡとの新しい契約を交渉中であり、自社の技術者の要請で延期するなんてもっての外であった。こうして悲劇の幕は切って落とされたのであった。

ファインマンの登場

この事故を受けてさっそく大統領事故調査委員会が組織されることになった。委員長に指名されたのはウィリアム・ロジャースである。[2] ニクソン政権の国務長官であったが、補佐官であったキッシンジャーの活躍ばかりが目立ったので印象が薄い。レーガン政権による任命で、アポロ11号の宇宙飛行士ニール・アームストロングを副委員長に選出し、アメリカ人女性初の宇宙飛行士のサリー・ライドやＭＩＴの学位を持つドナルド・クティィナ空軍大将、そして一九六五年ノーベル物理学賞受賞者のリチャード・ファインマンなど、委員は総計一三名（と事務局長一名）で九名は科学者・技術者出身であった。

ファインマンをこの委員会に推薦したのはＮＡＳＡ長官代理であったウィリアム・グラハムで、

彼がカリフォルニア工科大学（カリテク）に在学中にファインマンの講義を受けていたことがあり、事故の当事者であるNASAの総責任者として、ファインマンの力を借りることにしたのだ。グラハムから委員の依頼を受けたファインマンは、断ろうとして友人たちに相談したら、みな「非常に大事な仕事だから引き受ける」よう勧める。そこで最後のチャンスとして妻のグウェネスに「止めておけ」と言わせようと相談したら、「あなたが引き受けなかったら、一二人の委員がみんなで連れ立って、いろいろなところをぞろぞろ調べてまわることになるわ。だけどあなたが行けば、一一人は一緒になってあちこち調べて歩くでしょうけど、一二人目のあなたはひとりで飛びまわって、ひとの考えないようないろいろなことを調べることになるんでしょう。まあ何がみつかるかはわからないけど、もし何かがあったとしたら、それを見つけだすのはきっとあなたよ。あなたみたいなやり方のできる人は、ほかにはいないんだから」と、逆にけしかけられる始末であった。実際、彼女は慧眼で、事故調査委員会でファインマンは単独行動を敢行して、NASAの問題点を見つけ出すことができた、まさに彼女が予見した通りであったのだ。

妻の助言を聞いて、早くもファインマンの頭には、シャトル事故の原因はどこにあったか、NASAの組織はどうであったのか、そもそもシャトル計画を続けるべきか、使い捨てロケットに戻るべきか、我々はこの先どうすればいいのか、わが国の宇宙科学における将来の方針はいかにあるべきか、という事故調査から国家の政策まで連なる問題群が浮かんできた。「六か月間、自殺の覚悟だ」と妻に宣言して、委員を引き受けることを受諾したのである。ファインマンの文章には自分を戯画的に表現することが多いので、彼が書いた内容はだいぶ割引して受け取る必要があるのだが、この最初のドタバタ劇はさもありなんと思う。

事故が起こったのが火曜日、大統領事故調査委員会が正式発足したのは翌週の月曜日で、第一回の委員会が水曜日、そしてファインマンがマスコミの前でOリングを氷水に漬けると固くなってしまうというパフォーマンスを行ったのが次の週の火曜日であった。こういう具合で、実に目まぐるしく委員会は動き出した。Oリングの実験は大げさに言えば、世界中の人々にチャレンジャー事故の根本原因を納得させることになった歴史的実験と言えるから、その経緯から始めよう。

Oリングのパフォーマンス

委員を引き受けて、ファインマンがまず最初に行ったのは、カリテクにあるJPL（ジェット推進研究所）にシャトルについて説明できる人を呼んで勉強会をすることであった。その初っ端の説明で、ロケット推進剤が推進用ロケットの金属壁を焼き貫くのを防止する装置とともに、熱いガスが推進ロケットの組立接合部のOリングを焦がすことがあると知った。さらに熱いガスがOリングを焼き切って漏れると、断熱材のクロム酸亜鉛に気泡ができて膨れ上がり、やがてOリングを完全に侵食してしまう、というシャトル事故の主原因とされるOリングに絡む問題点のシナリオを理解したのである。さらにブースター・ロケットの圧力分布やエンジン内の水力など、シャトル全体の事前学習と問題点の把握を行い、理論武装して会議に乗り込んだのはまさに科学者として面目躍如（めんもくやくじょ）である。

ところが、ロジャース委員長の最初の提案は「みんなでフロリダに行く手配をしました。そこでNASAの幹部の説明を聞き、ケネディ宇宙センターを案内してもらいましょう」であった。何から何までお膳立て通りの訪問で、妻のグウェネスが言った通り、「委員が連れ立ってぞろぞろ調べて歩く」ことしか考えていないらしい。結局、技術的・実験的な仕事の内容の説明はすべてNASAに任せて、それを聞いてしかるべく報告書を書くのを事故調査委員会の任務と心得ているようなのだ。ファインマンはこれに強く反発し、グラハムと交渉してNASAの本部や各地の飛行センターに直接出かけて調査することにし、その計画をロジャースにねじ込んで了解させたのだった。ロジャースはファインマンの要求にさぞや頭が痛かったに違いない。

週末の土曜日にファインマンはNASA本部に出かをけ、グラハムが集めてくれた技術者からの説明を聞いた。ブースター・ロケット、エンジン、オービターと話が続くが、そのうちファインマンの頭は飽和状態になって詳細の話を後回しにする羽目になる。午後はシールの専門家の解説で、肝心かなめのシールであるOリングについての待望していた詳しい解説であった。

Oリングは、ロケットをぐるり一周する二個のゴム輪で、太さ約六・三ミリメートル、直径約三・六メートル（だから全長が約一一メートル）あり、サイオコール社が設計した時点では推進剤が燃える圧力でこのOリングが押しつぶされ、シールがいっそう堅固になると考えられていた。

ところが、ロケットの継ぎ目のほうがずっと丈夫なため、圧力が上がると壁面が外側に向かって膨れ継ぎ目の部分がへこむ。するとそこにひずみができ、Oリングがシール部から持ち上がるのである。つまり、ロケット内の圧力が増すに従い隙間が広がるのだ。

だから、完全な密封状態を保つにはOリングのゴムは、刻々と変化していく隙間を間髪入れずに封じられるだけの速さで膨張しなければならない。ロケットの打ち上げのときには、その隙間は一秒の何十分の一か何百分の一かという一瞬の間に変化するから、それに追随すべきOリングの弾力性は設計上決定的な意味を持つわけである。そこでOリングをいろいろ改良したが巧くいかず、熱いガスが漏れてOリングの後ろが真っ黒に焦げていたり、Oリングそのものが焦げていることが何度もあったという。

ところが、「飛行準備報告書」には、「二次シールが完全でなく、危険性を軽減するために改善する手段を講じる必要がる」と記述されながら、「漏れの有無さえ確認すれば、現設計のままシャトルを継続使用することに何ら危険は認められない」とある。つまり、少しぐらいシールに漏れがあっても、シャトル飛行自体が成功に終われば、問題はそれほど深刻ではないと判断していたのである。

こうして、ファインマンがＮＡＳＡに出かけて現場の技術者たちとシールの詳しい構造と性質を知ったことによって、難なく事故の根本原因を明らかにすることができたのであった。要するに摂氏マイナス一、二度以下になるとOリングは硬くなって柔軟性を失い、接合部をふさぐことができなくなり、ガスが隙間から漏れて爆発に至るというわけだ。月曜日に行われた非公開の緊急会議にサイオコール社の技術者であるアラン・マクドナルド（冒頭に登場したボイジョリーの同僚）が現れ、「サイオコール社の技師たちはみんな、不良シールの問題と低温との間には密接なかかわりがあるという結論に達していて、低温であった場合には打ち上げを見合わせるべきとＮＡＳＡに申し入れしていた」と証言した。これに対してＮＡＳＡ当局の人間は「そのデータは完全と言い難く、サイオコール社は考え直すべき」と反論して、結局のところ打ち上げが強行されるに至ったという。ファインマンは、シールの問題とともに、ＮＡＳＡの運営の面にまで問題を広げなければならないと強く感じたのであった。

そしていよいよ、冷やすとＯリングが硬くなることを氷水に漬ける実験で示した、有名なファインマンのパフォーマンスの日を迎える。接合部のゴムから取ったＯリングのサンプルを持参し、急遽金具屋で購入したペンチと締め具をポケットに忍ばせて会議の席に着き、おもむろに世話人風の男に「氷水を一杯いただきたい」と申し出た。そして証人に呼んだＮＡＳＡの人間に「ではＯリングがほんの一、二秒でも弾力を失ったとすると、これはたいへん危険な状態になりますか？」と問い、おもむろに低温とゴムの弾力性の問題の追及に移ろうとした。ここでＯリングを氷水に漬ける実験ができれば大喝采（だいかっさい）になるのだが、どのような手違いがあったのか氷水が出てこないのである。どうやら会議の世話人は、出席者全員に氷水を出せと言われたと勘違いして、コップ、水差し、水、盆などの道具を集めるのに時間がかかっていたらしい。

しばらく待たされた後にようやく氷水が来たので、締め具で挟んだOリングのゴムを氷水に入れ、締め具ごとサンプルをつまんで空中に差し上げ、締め具を外してもゴムは硬くなって元の形にもどらないことを示したのであった。そこで拍手喝采と思いきや、居合わせた記者たちはOリングについて不勉強で、「そもそもOリングとは何なのか説明していただけませんか?」と聞く始末である。せっかく意気込んで行ったパフォーマンスなのに空振りであったか、とがっかりしたのであった。しかし、夜のテレビのニュースでは論説員が実験の重要なポイントをちゃんとつかんで放映していたし、翌日の新聞すべてでもうまく解説しており、ファインマンは一躍英雄であるかのように報道されたのである。結果的に大成功であった。

単独行動による調査

その後、ファインマンは委員会メンバーと一緒にフロリダにあるNASAケネディ宇宙センターに出かけてガイド付きで見学し、開催された公聴会に参加して各部門の報告を聞いている。このとき、発射台上のシャトルから煙が出ている写真の解析やテレメータリングで集められたデータに異常がなかったことを知った。また打ち上げ前夜の状況をNASAとサイオコール社の人間から直接聞いて、やはりサイオコール社の技術者たちは打ち上げに慎重であったことが確認できた。このように公聴会はそれなりに証言が得られて成果はあったのだが、さらにもっと詳しい話が聞きたい、というわけで、その週末を宇宙センターに一人だけ居残ることにした。温度の計測が曖昧であったことやOリングの断面が歪んでいたというような調べたい技術的問題について、NASAの幹部以外に技術者たちとの対話を試みるためであった。

そのとき技術者たちによって「レッツゴーフォーイット！（いこうじゃないか）」とだけ書かれたメモの紙片が出てきて、そこに「なるようになれ！」というような無謀な態度がひそんでいるのではないかとファイマンは疑いを持って、どの書類に書かれていたのか探したのだが簡単には見つからない。後でわかったことなのだが、これは技術者たちが使っている俗語で、「これでよし」という意味で、全条件が揃い、次の作業に移る用意ができたというときに使う言葉であった。何ら強引でも無謀でもない、まったく自然な言い回しであったのだ。これは技術者の日常世界を知ったからわかったことで、こういったことも実地調査の賜物と言うべきだろう。

ファインマンは、実際にロケットの組立作業を行っている作業員などと話しているうちに、彼らはさまざまな思いつきや提案を持っていることに気づいた。上役が言いたがるように、彼らは決して「いい加減」ではなく、自分たちの仕事に非常に熱意を持っていることを感じ取ることができたのである。ただ上司がそれを評価せず、そもそも下っ端の作業員の言うことなど、本気で考えようしないのだ。それにもかかわらず「彼らの意気が高かったのは不思議なくらいだ」と書き留めている。実際、上役は後でファインマンと二人きりになったとき、「作業員の連中があんなに本気で考えているんで、実はびっくりしましたよ」と述懐している。現場の作業員と上役のすれ違いをどう克服するかは、組織運営の永遠の課題である。

実は、ファインマンがロジャース委員長の意向に逆らってフロリダに居残ったことで、かえってロジャースの面目を施したこともあった。上院で事故調査委員会についての質疑があったとき、ホリングス上院議員がロジャースに向かって、「人がうやうやしく提出してきた書類などいくら読んだってしかたがないよ」と、おざなりの委員会の弱点をよく知っていて、そこを突いてきたのだ。これに対してロジャースは、「委員の一人でノーベル賞受賞者が、こうしてお話ししている今の今、フロリダで議員のご希望通りの調査をやっております」と返答することができた。思いがけず、ファインマンはロジャースを助けたことになったのである。

ここでファインマンが不満を漏らしているのは、委員としての経費としてホテルと食事代で一日最高七五ドルまでしか政府が支払ってくれないことだ。何か月もの期間の時間と労力を国のために捧げてくれと頼んでおきながら、支払いをケチるのである。ファインマンは、徹底抗戦すべく請求書にサインしないつもりだったのだが、ニューヨークに「市役所相手の喧嘩はするな」という警句があるように、勝つことは「絶対不可能」だと悟って諦めてしまった。これは日本とも共通している。国や公共団体、大学からの旅費や謝金は世界中どこも同じで安いのだろうか（現在のアメリカがどうなっているのか知らないが……）。

三月になってグループ別調査が始まり、ファインマンはラティナ大将のグループに入ってマーシャル宇宙飛行センター（アラバマ州ハンツビル）に調査に出かけ、その後単独で調査することになった。ここで最初に会ったのはウリアン氏で、シャトルに破壊装置を組み込むか否かの決断を下さねばならない発射場保安資任者であった。破壊装置は、ロケットがコントロールを失って誤作動で飛行を始めた場合、危険を最小限に抑えるため、ロケットを瞬間的に爆破するための装置である。失敗率がおよそ四%である無人ロケットには必ずこの装置が組み込まれている。ウリアン氏は人間の乗るロケットの失敗率は少し下がって一%くらいだろうが、それでも破壊装置は組み込むべきだと考えていた。ところがNASAは、有人飛行の場合はもっと安全性が考慮されていて、失敗確率は一〇万分の一以下だから破壊装置は不要であると主張する。ウリアン氏の推測では、有人飛行の失敗率は下がっても〇・一%にしかならず、破壊装置は必要だと主張してNASAと対立していたのであった。

そこでファインマンは技師たちを集めて、「シャトル飛行がエンジンの故障によって未遂に終わる確率はどれくらいだと思いますか?」という質問をぶつけることにした。ただし、技師のボスが眼前にいるので秘密が守れるよう紙に答えを書いてもらった。技師たちは二〇〇分の一が二人、三〇〇分の一が一人、もう一人はボスで「量的明示は不可能」としか書いていない。改めて聞くと事故率は一〇万分の一と言っている。こうして技師たちと管理者の間に三〇〇倍以上のギャップがあることがわかった。つまり管理者側が出す小さい確率は願望値であって、そうなるように計算結果が操作されているのである。ところが、こうした数値が独り歩きして、安全神話となっていくのは原発と同じなのだろう。そういえば、福島事故が起こるまでの原発の事故確率は一〇万分の一であった。

ファインマンが発見したことは、そもそも現場の技師たちは、「何か役に立つ意見でも持っていそうな技術屋と、専門的な問題を話し合うのが楽しくて仕方がない。しかも、その問題を何とか解決したいという一心で、すっかり興奮する」、そんな人種であるということだ。ところが実際の現場で起こっているのは、下のほうでは現場の技師たちが声を限りに「助けてくれ！」、「これは一大事だ！」と叫んでいるというのに、上のほうではお偉方の管理職殿が、安全性確保の基準をどんどん甘くしている。そして予期しなかった誤りが出てきても、その原因の究明もせず、いい加減に片づける、というようなことが起こっていると把握できたのであった。

ファインマンの報告書

事故報告書はグループごとに分担して書くことになり、ファインマンが属するクティナ大将のグループは「第四章　事故原因」の部分を担当することになった。(3) それ以外に、ファインマンとして独自の調査を行った結果を、彼流の観点でまとめた報告書を準備していた。これを前もって事務局長のアルトン・キールに送り、委員のみんなに回覧するよう依頼していたのだが、どうやらキールは回覧をサボったらしい。だから、この報告書を読んだ委員は良い内容だから委員会全体の主報告書のどこかに入れるべきだと言ってくれたのだが、まだ読んでいない委員が多くいて採否の決定は後回しにされてしまった。結局、これを委員会報告に加えるには他の報告部分と整合性を図り、報告そのものの文章に磨きをかけねばならないが時間がなく、無理ということになった。結局、ファインマンは報告書を付録として出すことで妥協したのだが、キールがあちこちに手を入れたためすっかり骨が抜かれてしまった。だから、ファインマンとしては不本意なものになったのだが、ともかく事故調査委員会報告書の付録として所載することになったのである。

ファインマンの報告書は、これまで縷々書いてきたことの要約版なのだが、特に念を押して繰り返し強調している問題がある。それはNASAの幹部たちが大事故の起こる確率は一〇万分の一という低い見積りであるのに対し、関係する技術者はおよそ一〇〇分の一（か、せいぜい三〇〇分の一）としていることの大きな落差である。このことをファインマンは付録で三度も繰り返し述べている。結論部分で、シャトルの失敗確率が一％台であるにもかかわらず、NASAの幹部たちがその一〇〇〇分の一も小さく見積もるのはなぜかと問い、考えられることは、「資金確保のため政府にたいしNASAの完璧さと成功とを約束しようとする試み」であるか、「（彼らが本気でそれを信じているのなら）それは彼らと現場で働く技術者たちとの間に、ほとんど信じがたいほどの意思疎通の欠如があることを示している」かのいずれかであろうと結論づけている。

そして、最後に「テクノロジーを成功させるためには、広報よりもまず現実を優先すべきである。なぜなら自然を欺くことはできないからである」という言葉で締めくくっている。事故確率は厳然とした「現実」であり、それをごまかしてもいずれしっぺ返しを受ける、そのことを重々心しておかねばならない、と戒めているのだ。

ロジャース委員会の事故報告書は一九八六年六月九日にロナルド・レーガン大統領宛に提出さ

れた。ＮＡＳＡはロジャース委員会から提案された九項目の改善計画「新しい安全装置の設置、固体ブースター再設計、安全性や信頼性を担当する新組織の新設など」を三〇日以内に取りまとめて報告するよう求められた。

しかしながら、二〇〇三年にスペースシャトル・コロンビア号の惨事が再度引き起こされた。チャレンジャー事故から一七年の歳月が経つうちに、ＮＡＳＡに組織病とも言うべき宿痾（しゅくあ）が再び広がっていたと思われる。ファインマンが指摘したことは永遠の真実であったのだ。

註

（１）本節の執筆にあたっては、Ｃ・ウィットベック『技術倫理１』札野順、飯野弘之訳（みすず書房、二〇〇〇年）を参考にした。

（２）本節の執筆にあたっては、Ｒ・Ｐ・ファインマン『困ります、ファインマンさん』大貫昌子訳（岩波現代文庫、二〇〇一年）からの参照・要約・引用が中心である。

（３）最終節は、Ｒ・Ｐ・ファインマン『聞かせてよ、ファインマンさん』大貫昌子、江沢洋訳（岩波現代文庫、二〇一九年）からの参照・要約・引用が中心である。

第4章　ＡＩの軍事利用を問うグーグル社員

ＩＴ業界最大手であるグーグル社が、米国防衛省との間で、ＡＩを軍事利用する「プロジェクト・メイブン」と呼ばれる情報担当国防次官のプロジェクトに、二〇一七年四月以来参加していたことを、ウェブマガジン「ギズモード」が報じたのが二〇一八年三月であった。

以来、これに反対するグーグルの従業員約四〇〇〇名の署名が提出され、抗議して退社した職員が一〇名も出る騒動に発展した。グーグルの職員総数は七万人もいるそうだから、署名者は一割にも達していないけれど、四〇〇〇人ともなると侮れない。また退職した職員は、おそらくどこの企業でも欲しがる有能なＩＴ技術者であったらしい。企業として大きな打撃を受けかねない事態が発生したのである。

プロジェクト・メイブンは、テロリスト対策として、ドローンが収集する動画や静止画の解析に焦点を当て、膨大な画像からテロリスト自身や彼らが使っていると思われる車など、三八のカテゴリーの対象物を特定して追跡するもので、ＡＩの画像認識能力を最大限に利用することが目的であった。

グーグルの役員たちは「ペンタゴンのプロジェクトではあるが、グーグルの関与はあくまで非攻撃用途でのＡＩ利用であり、自社が開発したオープンソースプログラムを用いた機械学習用の公開ソフトウェアを国防省に提供しているだけだから問題はない」との声明を出して、それ以上問題が広がらないように手を打ったつもりであった。

しかし、この画像認識の技術が「抽出した人間の姿を標的として、効率的に生命を奪う」ことにも使われることは誰でもすぐにわかる。画像解析の精度が上がれば攻撃能力の精度も向上することは当たり前であるからだ。そもそも「画像認識」の結果は使いよう次第であって、「非攻撃用途」などと限定できないはずである。

つまり、グーグルが開発した技術が主観的には軍事的監視を支援するだけのものであっても、技術を向上させると非常に危険なものに転化してしまうことは確実である。従業員たちは、そのことがわかっていながら国防総省と契約していいのか、と問いかけたのだ。

こうした従業員の動きの背景には、二〇〇四年にグーグルが株式公開した際に出した「創業者からの手紙」に「邪悪になるな（Don't be evil）」のスローガンがあり、「行動規範」の冒頭に掲げられてグーグルの社是（しゃぜ）になっているということがあった。この精神がグーグルの文化として定着していたのである。

世界中のユーザーの信頼

実際、署名者の請願書の末尾では、「グーグルの倫理的な責任」を認識し、「このプロジェクトを直ちに廃止すること」と「グーグルとその契約相手が戦争目的の技術を一切開発しないことを述べたポリシーを起草し、公に発表し、実行に移すこと」を要請している。

従業員たちは、世界中の何十億という人々から信頼されてこそのグーグルであり、ペンタゴンと契約すればレイセオンやジェネラルダイナミクスなど軍事技術の開発を行っている軍産複合体と同列にみなされかねない。つまり、グーグルが軍事研究を行うことは社会の理解が得られず、結果として会社の未来を危うくすることを危惧したのである。それは、企業社会で働く人間として、企業の社会的責任を自覚した健全な要求と言えるだろう。

この動きに呼応するかのように、軍事・ロボットに関する専門家が属する「ＩＣＲＡＣ（国際ロボット兵器規制委員会）」も、「グーグル従業員と技術労働者を支援するオープンレター」を発表し、グーグルの首脳部に、このプロジェクトから離脱して軍事技術を開発しないことや、自律型兵器の開発に参加しないことを誓約するよう求めた。この書簡には一一〇〇人を超す世界中のロボット研究の専門家が署名しており、専門家自身がＡＩの軍事利用に対して大きな不安を抱いていることがわかる。グーグルのような情報産業が軍事技術に手を染めると、やがて敵を自ら判断して自らの行動を自律的に決めていくＡＩ兵器につながる可能性を憂慮しているからだ。

契約非更新と新たな原則

二〇一八年六月七日、グーグルのスンダル・ピチャイCEOが国防総省との契約を二〇一八年度限りとして更新しないと発表した。問題が多くのマスコミから注目を集め、優秀な人材を失いかねない事態へと拡大したこともあって、沈静化のため方針を変更したのである。

これで一件落着のようだが、ここで提起された問題はそう簡単に終わりそうになく、今後もAI企業の軍事研究への参加について点検・監視をし続ける必要がある。

第一の問題として、国防総省が当面一〇〇億ドル（約一・一兆円）規模と言われる国防クラウド「共同事業防衛基盤計画」という調達案件を準備しており、さらにさまざまなAI技術の軍事利用を計画しているという問題がある。これらをAI企業として世界トップであるアマゾンや第二位のマイクロソフトがビジネスチャンスとばかりに虎視眈々と狙っているから、シェア第三位のグーグルとしても安閑としておれない。国防総省がAI企業の最大のスポンサーとなることから、簡単に軍と手を切るわけにはいかないのである。

事実、ピチャイCEOが発表した声明文では、「当社は武器使用のためのAI開発はしないが、今後も政府や軍に様々な分野で協力する」と述べている。政府や軍との取り引きは引き続き行い、DARPA（国防高等研究計画局）やIARPA（情報高等研究計画局）が進める開発研究プロジェクトに参加し続けることを明言しているのである。営利のために軍関係との協力関係は維持するというわけだ。

しかし、一方では従業員の反乱もあって社会的責任も意識せざるを得ない。そこでピチャイCEOは、行動規範の「邪悪になるな」の代わりに「正しきことをせよ（Do the right thing）」という社是に変更し、七項目のAI利用の常識的な倫理を述べた目的事項とAI利用に関する四項目の禁止事項を掲げて、会社が依って立つ方針としたのである。

目的事項は以下のようなものだ。

①社会的に有益であること
②不公正な偏見を生み出したり助長したりしないこと
③安全を意識し設計・テストすること
④人々への説明責任を果たすこと
⑤プライバシー設計原則を組み込むこと
⑥科学的な基準を守ること
⑦これらの原則に合致する用途とすること。

きわめて一般的な基準で、それ自身は当然の倫理規範と言える。いわば「企業倫理」の教科書に書かれている事柄ばかりであり、これらが単なる標語ではなく、仕事の場で実際にどう生かされるかが問題だろう。そうでなければ、言葉の上だけのモラルで終わってしまう可能性が高いからだ。とはいえ、反面では、これらの規範は働く人々の心に刷り込まれ、やがて文化となっていくのも確かだから、明示しておく価値はある。

禁止事項はどこまで有効か

問題は四項目の禁止事項、詳しく言えば「武器利用のためのＡＩ開発はしないが、今後も政府や軍との様々な分野で協力していく」とした際の、ＡＩ利用に関する四項目の禁止事項である。それらは次の通りである。

①人々を直接的に傷つけることを目的とした武器や、それに類するテクノロジーへの適用
②監視（サーベランス）を目的とした情報収集のためのテクノロジーへの適用
③国際法と人権を害するテクノロジーの適用
④全体的に害を引き起こす、または引き起こす可能性が高いテクノロジーへの適用

最初の項目にある、「人々を直接的に傷つけることを目的とした武器」とは攻撃用の武器のことだろう。とすると、この禁止事項は、そのような武器へのＡＩ技術の適用は許されないが、防御用の武器であれば許されるとのニュアンスとして受け取れる。ところが一般に、戦争においては攻撃用と防御用の武器は簡単に分けられず、相互にエスカレーションしていくものである。それよりも、グーグルの業務は情報としてのＡＩ利用なのだから、基本的には人間を殺傷する武器に直接に関与することはほとんどないはずで、この条項はグーグルを縛ることにはならないのでは、と思う。

むしろ②の方が情報産業としてのグーグルに対する厳しい制約になると思われる。プロジェクト・メイブンはドローンが得た動画情報から特定の人物や物体を追跡しているのだから、明らか

に監視を目的とした情報収集であることは確かである。だから、この禁止事項通り、国防総省との契約を継続しないことにしたのだと解釈できる。しかし、収集した情報が、その提供先で監視のために使われるか、道案内や記録のために使われるかはグーグルにはわからず、そのデータ提供を受ける政府や軍が決めるとしてグーグルが問題にしないなら、この禁止事項は意味をなさないことになる。

③の事項も同様で、スノーデンが暴露したように、国家機関（米国家安全保障局）が国際法を無視して外国政府の機密情報を盗んだり、極秘に政府要人の個人情報を収集したりすることが平気で行われていた（現在も形を変えて継続されていると想像される）。その監視技術はＡＩ産業が提供したものであることは確実なのだが、得られた情報がどのように使われるかはＡＩ産業には明かされない。だから、暴露されない限り自分たちの技術がどのような目的のために使われているかはわからないのである。

危ないリスク・ベネフィット論

さらに問題があるのは、ピチャイＣＥＯが④の禁止事項には例外があり、「害をなすリスクがある場合でも、ベネフィットがリスクを実質的に上回っていると信じられる際には、安全に考慮しながらＡＩ利用を進める」としていることだ。自動運転へのＡＩ利用のようなケースを考えているようだが、ベネフィットとリスクの比較だけで簡単に答えを出してはいけない側面が多くある。例えば、一般にベネフィットを享受する者とリスクを被る者は同一ではない場合が多く、単純な損得勘定では大きな不公平をもたらすことがあるからだ。

また、どの時点までを見通したベネフィットでありリスクなのかも考慮すべきである。現在の資本主義社会では短期の儲け（ベネフィット）を優先して長期の損失（リスク）を無視する傾向があるからで、リスク・ベネフィット論で例外を許容するのには、よほど慎重でなければならない。

以上が、この数年に起こったグーグル騒動の経緯なのだが、アマゾンやマイクロソフトやＩＢＭなど情報を扱う他の企業の内部での議論を知りたいところである。ビジネス優先で企業の社会的責任を問うことなく、軍事利用推進の方針をそのまま受け入れているのだろうか。ＡＩ産業の軍事利用に関する問題はまだまだ継続するであろう。私たちはしっかりと注視し続けねばならない。

第Ⅱ部　わたしたちの「座標系(にちじょう)」のなかで起きていること

第5章

戦争と環境破壊の中で

あまり知られていないが、一一月六日は、二〇〇一年に国際連合総会によって決議された「戦争と武力紛争による環境搾取防止のための国際デー」である。戦争や武力紛争では、いかに多数の敵側の人間を殺傷するかが競われて武器開発がなされてきたのだが、やがてそれに止まらず、軍事基地や軍需工場やインフラ（発電所や交通網）の破壊へと拡大され、さらに絨毯爆撃等による人間の居住環境の全面的破壊に及び、ついには核兵器の莫大な爆発力によって一つの都市を消滅させるまでになった。このように武器の破壊力の増強によって、生態系や天然資源など自然環境そのものが深刻な損傷を受けるようになり、世代を越えて悪影響を蒙る事態へと深刻化してきた。そこで、このような国際デーが設定されたのだが、人間やインフラの直接的破壊が現在の世代への打撃とすれば、自然環境の回復不可能なまでの損傷は次世代にまで及ぶことを強調して「環境搾取（Exploitation of the environment）」と表現しているのである。

むろん、戦争の行為そのものによる環境破壊・環境搾取のみならず、戦争の準備段階における環境への悪影響（武器や基地開発や軍事演習など）、戦争に付随して生じる環境問題（難民の発生や遊休地の占有など）、戦争後長く継続する環境への負荷（土地の砂漠化や武器の廃棄やオゾン層の破壊など）、戦争に絡む全段階において環境破壊・環境搾取は発生している。これらが貧困や飢餓や水問題や気候変動と結び付き、戦争が人類の持続可能性への重大な挑戦となっていることも明らかである。さらに、核兵器の全面禁止を実現できていない人類は、全面的核戦争による人類絶滅の危険性を依然として抱えており、「核の冬」はその象徴的な表現と言える。環境の破壊は人類の自滅につながっていることを忘れてはならない。

以下では、戦争の準備段階から戦争終了後まで続く環境破壊の実態をまとめた後、現在開発されつつある新しい兵器が孕む環境破壊効果について論じる。

戦争準備段階における環境破壊

何本もの滑走路を持つ飛行場を備えた広大な軍事基地を建設し、実弾を交えての兵士の訓練の場や新兵器の威力を験（ため）す演習地を確保することそのものが、人々から耕作地を取り上げ、里山や森林を占領し、海岸を埋め立てることは、戦争準備のための環境破壊に外ならない。このことは、日本の米軍基地の七四％が集中している沖縄や東京近郊の横田や厚木などの一等地を米軍が押さえていることを見ればわかる。沖縄の辺野古飛行場建設のため、ジュゴンが泳ぎ、サンゴが群れる海浜を埋め立てていることは、まさに環境搾取であることは言うまでもない。軍事基地や演習地の建設・占有は、それがなければ人間のために有効に使われているはずの環境が戦争準備のために搾取されているのである。

人間を直接殺傷することを目的とした兵器（武器）は、基礎科学の知見から得られた化学兵器（火薬・毒ガス・毒物）・生物兵器（病原体・毒素）・核ミサイル兵器として戦場に登場したが、その開発・実験段階で深刻に環境を汚染することによって、土地や島を不毛にしてしまうという事例がいくつもある。

例えば、スコットランドのグルイナード島は、第二次世界大戦中にイギリス軍が毒素を強めた炭疽菌（たんそきん）を開発し、それを生物兵器とするための実験をした島である。炭疽菌を詰め込んだ爆弾を投下して、送り込んだ羊の感染状況を観察するという実験で、島全体が炭疽菌に汚染されてしまった。以後、立ち入りが禁止され無人島のままである。また、中央アジアのアラル海にあるヴォズロジデニヤ島（現在は半島）は、ソ連時代に生物兵器の実験開発工場があった所で、炭疽菌や天然痘やブルセラ病など四〇種類以上の細菌やウイルスを培養し、周辺住民に被害を与えていたが、むろん秘密基地であったがために住民に知られることがなかった。ソ連が崩壊してウズベキスタン政府の管轄となり、国際テロ組織による盗難を警戒してアメリカ軍が炭疽菌の処理を行ったが、それ以外の病原体は未処理のまま島は放置されたままである。このような生物兵器開発は数多く行われ、すべて秘密のまま放棄された土地が多くあると考えられる。

それに対し、核実験による放射能汚染は影響範囲が大きく、また放射線が強いまま長く持続するので被害が顕在化しやすい。その典型が、一九五四年にマーシャル諸島のビキニ環礁で行われたアメリカ軍の水爆実験で、三月一日の「ブラボー作戦」では広島型原爆の一〇〇〇倍以上もの爆発力のあった水爆によって、第五福竜丸始め日本の一〇〇〇隻もの漁船が被害を受けたことは、地元の高校の先生や生徒たちによる長年の調査によってよく知られるようになった。一九四六年から行われた原爆実験を含めると、一九五八年までにエニウェトク環礁なども含めて六七回もの原水爆実験が行われ、マーシャル群島に住む人々は強制移住させられた。実験が終わったら今度は帰島が強要され、放射能に汚染された島で原爆症に苦しむ人々が多く居る。

一方、ソ連は現在カザフスタンとなっている中央アジアに秘密都市セミパラチンスク（現在名は、ソ連の核開発責任者の名をとりクルチャトフ市）を建設し、一九四九年から一九八九年まで四五六回の原水爆実験を行い、市民に多大な健康被害を及ぼしたが黙殺されてきた。ソ連末期のグラスノスチで実態が明らかになり、一九九一年八月二九日に正式に閉鎖された。国連はこの日を「核実験に反対する国際デー」としたのである。ソ連のもう一つの核実験場は、北海に位置するノヴァヤゼムリャで、現在もロシア連邦の核実験施設として使われている。イギリスはオーストラリアの島やマラリンガ（南オーストラリア州）、フランスはサハラ砂漠や仏領ポリネシア、中国は中央アジアのロブノール（タクラマカン砂漠）やウイグル地区と、それぞれ人口が少なく、かつ植民地的な要素のある土地が核実験場にされた。いずれも現地においても広大な土地が放射能汚染されたままである。

もう一つ核に関連する環境破壊は、核兵器用のウランやプルトニウムを生産する原子炉工場周辺の汚染問題である。一九五七年に起きた「ウラルの核惨事」と呼ばれるソ連の核技術施設の事故（放射能溶液の爆発事故、国際原子力自己評価レベル6）と、同年に起きたイギリスのウィンズケール原子炉の燃料溶融事故（レベル5）がよく知られている。一九六九年に中国の原爆製造工場の事故、一九七〇年ソ連の原子力潜水艦建造所爆発事故、一九七三年アメリカのハンフォード核工場事故など、頻々と事故が起こっており、周辺の放射能汚染は莫大なものである。アメリカのハンフォードは現在核貯蔵施設となっているが、膨大な核廃棄物を溜め込んだため周辺地の核汚染が深刻で、その処理のためには四兆円以上の費用と一〇〇年という時間がかかると見積もられている。これはハンフォードだけでなく、世界中の核兵器生産工場に共通している問題で、まさに戦争が孕む環境破壊と言えるだろう。

戦争の行為そのものの環境破壊

戦争の作戦で大規模な環境破壊を引き起こしたのは、ベトナム戦争において、一九六一から一九七五年の間、アメリカ軍がオレンジ剤と呼ばれた2・4Dなどのダイオキシン類の枯葉剤をジャングルに散布したことで、異常児出産（ベトちゃんドクちゃんのような奇形出産）が相次いだ。さらに遺伝子異常を引き起こして、現在でもなお先天性欠損の子どもが生まれており、一五万人もが深刻な影響を受けている。枯葉剤に汚染された森林は枯死し、耕作地帯は不毛の地となってしまった。森林地帯は完全には洗浄（除染）できないから人が入ることができず、枯れ地のまま放棄せざるを得ない。ベトナム上空から撮影された写真を見ると、枯葉剤によって裸にさせられた森がくっきりと見える。沖縄の米軍基地にも枯葉剤が持ち込まれており、それが基地を汚染していることが指摘された。たとえ米軍基地が返還されても、化学物質に汚染された土地であれば跡地利用が困難であるのは明白だろう。環境破壊は容易に回復せず、世代を越えて負の遺産として継続するのである。

戦争時の大型環境破壊として、一九九一年の湾岸戦争においてクウェートに侵入したイラク軍が撤退する際に数多くの油田やタンカーを破壊して引き起こした原油流出を挙げねばならない。最大で六〇〇万バーレル（七二万立方メートル）の原油が最大で長さ一六〇キロメートル、幅六八キロメートルの範囲に、最大一八センチメートルの厚さで広がったと見積もられている（二〇一〇年に起こった世界最大のメキシコ湾油田事故で流出した原油は四九〇万バーレルであった）。海岸に流れ着き、河口の湿地帯に漂着した原油は簡単に除去することができず、完全な回復までに数十年の時間が必要である。また、流出した原油が水鳥の羽根にくっつくと、水鳥は飛べず、海に浮かばず、内臓疾患を招いて、人間が原油を除去しない限り、捕食能力の低下や健康被害で死んでしまう。実際に、どれくらい野鳥が犠牲になったか算出できず、海や陸の生態系に及ぼす影響は時間が経たないとわからない。またわかったところで、どのような手段で回復するのかという困難な問題が控えていて簡単ではない。

かつて、領土の奪い合いをした時代においては「焦土作戦」と呼ぶ、家屋や田畑や山林など国土の可燃物を完全に燃やして破壊し、敵であれ味方であれ、その土地に軍隊を滞在させることを困難にする作戦が敢行(かんこう)された。焦土作戦は人間・インフラ・環境の全面的破壊で、味方がこの作戦を採用するのは敵を撤退させるため、敵が採用するのは味方の者たちに再結集させないためであった。特にロシアのような寒冷地では、燃料の不足を招いて食事が取れず、水が補給できず、冬には凍死の恐れがあって、軍を駐留させることができなくなる。ナポレオンのモスクワ遠征やナチスのレニングラード遠征が見事に失敗に終わったのは、ロシア側の焦土作戦のためと言われている。他方、中国に攻め込んだ日本軍の「殺し尽くし、焼き尽くし、奪い尽くす」という過酷な作戦に対して中国側が「三光政策」と呼んだが、これも中国の人々をゲリラとして再結集させないために日本軍が採用した「焦土作戦」であった。焦土作戦は過去の戦術でしかないと思われるかもしれないが、右のイラク軍の油田破壊は一種の焦土作戦で、原発(やダム)の爆破を含め環境を全面的に破壊する焦土作戦は今後も敢行される可能性がある。

戦争に付随する行為の環境破壊

戦争が起こると、直ちに難民問題が発生する。戦火の直接的な危険から逃れるためだけでなく、戦争が引き金になって、家を破壊され、耕作地が踏みにじられ、食糧が調達できない状態に追い込まれると、生き延びるために人々は居住地から離れざるを得なくなるからだ。戦争による大掛かりな環境破壊が難民の群れを作り出すのである。

直接の戦場にはならないが、兵士や戦車を集結させて一時的な出陣基地としたり、兵器や食料や爆薬の保管・貯蔵などのいわゆる（軍事的）ロジスティックを担う場を軍が確保しようとするとき、湿地や渡り鳥の飛来地や海の浅瀬など広大な面積を占める「遊休地」を狙うことが多くある。軍にとってはまとまった土地が比較的容易に手に入るから、一時的な使用だと言いくるめて突貫工事で目的の施設に改変してしまう。実際、基地とは名付けられず、「一時保管庫」とか「時限施設」というような名称で恒久使用する意図はないかのように装うのだ。それらは空き地のように見えるから住民も同意しやすいが、実は湿地に生息する動物や渡り鳥や浅瀬の生き物は環境の健全性を担保する重要な役割を果たしており、それを無くすることによって動植物の絶滅のような環境異変を招いている。そのように、環境が搾取されて人類も生き苦しくなっていくことに繋がっているのである。

今や希少となった野生動物を保護するために自然保護区が設定されているが、アフリカで内紛による武力紛争が生じたために、森林が伐採され、保護区の管理が手薄になって密猟が増加し、特に大型草食動物が減少していることが指摘されている。逆に、紛争が起これば過度な人為的保護が減り、密猟も減って、自然保護区はより充足するという意見もあるが、どうだろうか。朝鮮を南北に分断する軍事境界線（三七度線）の南北に幅二キロメートルの非武装中立地帯が設定されているが、そこには地雷が敷設されていて一切人が寄り付かない。そのため、現在では自然が豊富であり、野鳥の楽園となっているらしい。ここが自然保護区なっているのはまさに皮肉と言えよう。

希少動植物の保護と似た問題として、いざ戦争となれば、文化財の保存とか、生物多様性の維持というような、人間の文化を継承・発展させるための行動は二の次にされてしまう。それらは戦力にならず、単なる精神的な気休めと見られるためである。しかし、それを「文化環境の破壊」として捉える視点が必要だろう。かつてタリバーンがアフガニスタンのバーミアンにあった、ユネスコの世界遺産に登録されていた歴史的文化財である一〜五世紀の仏教遺跡（磨崖大仏）を破壊したことが国際的に大きな問題となった。一度破壊されてしまうと二度と取り戻すことができない、そんな貴重な文化的遺産はいざ戦争となると簡単に破壊されてしまうのである。むろん、文化財にばかり目が行って、そこで飢餓に苦しむ人々のことは眼中にないのではないか、という批判にも私たちは十分心していなければならない。

戦争後まで継続する環境破壊

右に述べて来たほとんどの問題は、戦争が終わっても環境破壊・環境搾取として継続することは論を俟たない。さらに付け加えるとすれば、地雷のような埋設兵器問題や生物・化学・核兵器（廃棄物を含む）の廃棄問題もある。対人地雷禁止条約は一九九九年に発効したが、地雷は一度埋設されると半永久的に、無差別に危害を与えるので、その土地は放棄せざるを得なくなる。まさに地雷によって環境搾取がそのまま継続し続けるのだ。また、生物兵器開発で汚染された島が立ち入り禁止になっていることは先に述べた。一九九七年に発効した化学兵器禁止条約で他国に遺棄した化学兵器の処理を遺棄国が行うことが義務付けられ、旧日本軍が中国で遺棄した化学兵器の撤去問題は日本が不熱心なこともあって現在も継続している。そして、核廃棄物・廃炉になった原子炉・核兵器の廃棄問題はどの国においても未解決である。いずれ放射能で汚染された廃棄物が環境に溢れ出してきて大問題になる可能性がある。特に核兵器生産にからむ諸々の後遺症は、人類の存続への一大警鐘と言えよう。

大量破壊兵器が人間やインフラの破壊のためのＡＢＣ（原子・生物・化学）兵器から、今後電磁弾（ＥＭ弾）・高周波兵器・サイバー攻撃・ゲノム編集生物兵器など、人間環境の破壊兵器へと移行しつつある。電磁弾や高周波兵器は、超高空での核爆発などによって強力な高周波の電磁波や高電流を空中に発生させてＩＣ回路を破壊するもの、サイバー攻撃はコンピューターの誤作動を誘発して制御できなくするもので、いずれもＩＣＴ社会の根幹部の機能を破壊して社会生活を営めなくするという人間環境の破壊を目指した兵器である。またゲノム編集生物兵器は、致死的な疫病や毒素を持つ新たな菌の作成から、遺伝子ドライブのような生態系を歪めてしまうものまで、やはり環境破壊兵器への適用が検討されている。つまり、人類が築いてきた生活環境や保存してきた自然環境が有効に機能しなくなるようなこれらの兵器を通じて、真綿（まわた）で首を絞めて人類を抹消する軍事戦略が進行しているのである。
こんな兵器の開発に邁進する人類に、果たして未来はあるのだろうか。

第6章　**戦争を抑止できるものは何か**

現在、世界を破壊するための精鋭な武器をいくら装備しようとも、目に見えない半生物体であるウイルスを根絶できず、累々たる犠牲者を生み出す状況が続いている。そのような悲惨な状況が継続してるにもかかわらず、世界中で軍拡路線が止まりそうにない。環境の悪化が地球の異変をもたらしかねないと何度も警告が発せられているのに、さらに武器の絶えざる生産と更新のために資源とエネルギーの膨大な浪費を行い、環境の悪化を加速させていることが明らかなのに、軍事予算を環境の整備のために転換する動きはまったく見られない。その背景にあるのが軍事力による戦争の抑止論なのだが、それはアリ地獄への転落でしかない。戦争を真に抑止するのは人間の理性と道理に基づいた人間力であり、一切の軍事力を放棄した世界こそ人類の目標としなければならないのではないか。

コロナ禍と戦争

コロナ禍を戦争に例えた政治家が何人もいた。イギリスのジョンソン首相、アメリカのトランプ大統領、フランスのマクロン大統領、我が国の安倍首相などである。少しずつ言い方は異なるものの、「新型ウイルスが人類に攻撃を仕掛けてきた、すべての国民が一丸となってこれに立ち向かわねばならない」というわけで、常に外敵からの恐怖を煽って軍事拡張に奔走している政治姿勢が露骨に見える。日本では、緊急事態宣言だの、自粛要請だの、新しい生活様式などという、戦時体制への同調を想起させるかのような言葉を政府が多用しており、戦時下にあるかのような雰囲気を社会に醸成している。「自粛警察」は「非国民」とか「国賊」だと非難して大勢に従わせた過去の復活と言えるかもしれない。

しかし、じっくり考えてみよう。戦争とは国家が自国の利益や意志を貫徹するために他国と武力で争うもので、人間が引き起こす災禍であり、人間の愚かさに起因するものである。そうであればこそ、人間の英知によって戦争に依らずに紛争や対立を解決でき、戦争の勃発を抑止することができることも確かである。つまり、戦争は本来的に克服できる人間の所業であるが故に、いかなる困難に遭遇しようとも安易に戦争に譬えて論じるべきではないと言えよう。政治家たちは、戦争に譬えることによって、自らの無策を覆い隠しているのである。

ましてやコロナ禍は、人類への挑戦とばかりにウイルスが来襲したわけでなく、拡大し過ぎた人間の活動によって未知のウイルスが人間世界に引き出されたという背景が指摘されている。それ故に、現在の人類の生き様について反省を迫っていると捉えるべきなのである。

そのために必要なことは、世界が共同してウイルス感染の拡大を抑えつつ、早急に治療薬やワクチンを開発して世界中の誰もが支障なく使えるような体制を確立することである。それが不十分なままで、取り残されるような人々が少しでもいれば、いつどこから再発するかわからない。ウイルスは短い時間で耐性を獲得して伝染力を強める可能性があるから、早い段階で世界中の誰もがワクチンによって免疫を獲得することを目指す必要がある。自国民優先とか、自国の企業集団の利益独占といった国家主義的思惑ではコロナ禍を完全に抑止することができないことは明らかで、国家が対立する戦争とは全く逆の国際的な協調こそが肝要なのである。天然痘ウイルスや牛ペストウイルス（牛疫）根絶が成功したのは、国家の枠組みを超えた国際組織（WHOやFAO）の存在、国際的なワクチン開発と普及の協力体制、感染を防止する世界システムの確立、という要素が不可欠であった。コロナ禍に対する状況がこれと真逆であることは論を俟たない。

他方、政治家たちとは異なった観点においてコロナ禍と戦争が類似している側面も指摘しておかねばならない。いずれも国内外において貧困層に深刻な被害が集中することだ。特に、新自由主義経済によって貧富の差が甚だしく拡大した国家においては、それがより顕著に表れている。このように戦争は貧困者に対して矛盾を皺寄せし貧富の差異をよりいっそう拡大するのだが、他方でコロナ禍は医療・介護・保育・福祉・教育など人間を大事にする分野への社会的資源の意識的な投入を優先して社会変革の契機とすることができる、という大きな違いが生じ得る。膨大な軍事費を、戦争で空しく消費するか、社会構造の改変のために組み替えるか、である。戦争という呪縛から脱することができるなら、この機会に社会の矛盾を反転させる展望が得られるのだ。

戦争は軍事力の一方的な拡大を要求するのに対し、コロナ禍は軍備を撤廃してその経費を世界の不平等を是正するために使うことを求めている。残念ながら現状は、さらに破壊力を高めようと軍拡路線を突っ走って軍事に予算をつぎ込んでいるのだが（唯一、韓国が国防予算を約一六〇〇億円削減したというニュースがある）、客観的に見ればこの上なく滑稽と言う他ない。どんなに強靱で高性能な兵器で武装しようとも、それらはウイルスに対しては無力である。ウイルスという目に見えない、ちっぽけな半生物体を物理的に破壊し、その生存・繁殖戦略を阻止することは不可能であるからだ。

発想を転換しさえすれば、コロナ禍を契機にして新しい世界を構想できるというのに、どの国もこぞって推進している軍拡を止めようとしない。以下では、そのような軍事化を競う世界がいかに異様で無意味であるかを論じ、非武装こそが戦争を真に抑止する力となることを主張したい。

戦争が止揚されつつある時代

現代は、戦争（暴力）によって紛争を解決する手法は時代遅れであり、もはや戦争は国家間の対立を解消する手段ではなくなっていることがますます明らかになっている時代である。現に、大国間の戦争は第二次世界大戦以来起こっていない。むろん、インド・パキスタン紛争やイラン・イラク戦争など小国間では衝突が起こり、ベトナム戦争・イラク戦争・アフガン戦争・シリア紛争など大国による小国への一方的な武力介入があり、小国内での対テロ戦争などが絶えず勃発しているから、誰もが戦争はずっと続いてきたとの印象を持っている。

しかし、それらの紛争・衝突・対立・反乱・相克は、大国が小国を弄ぶような武力介入とか、領地の境界をめぐる小競り合いや宗教的対立によるものがほとんどで、領土や利権の争奪というような古典的戦争ではない。人類の歴史は戦争の歴史と言われるが、他方では戦争を抑止する歴史でもあって、大国間の武力による紛争解決の時代は終わったというのが現実ではないか。世界大戦は二〇世紀の遺物であって、二一世紀には国力を傾けるような大戦争は止揚されていることは、誰もが同意されるはずである。戦争が起こりかねない事態が生じても、国連の平和的仲介・戦争反対の国際世論の醸成が功を奏して、決裂状態に追い込まれる局面が回避できているからだ。

以上のような認識が共有できれば、今や戦争に勝利するための軍事力の増強は無意味であり、世界は軍備を縮小・撤廃する流れとなっているはずである。ところが現実は逆で、むしろ世界の軍事費は年々増加しており、あたかも世界中が軍拡競争に狂奔しているかのようである。なぜ、そのような軍事増強が止まらないのであろうか。そしてまた、なぜ多くの国々の国民はそれを当然のように受け入れているのであろうか。

まず、確認しておかねばならないのは、現在の世界において飛びぬけた軍事大国はアメリカ・中国・ロシアの三国であり、それ以外のいかなる国々もこれら三国と正面切って交戦しようとは考えていない、ということだ。頻々として起こっているのは、アフガン戦争のようにこれらの軍事大国が小国に一方的に侵入して軍事的圧力をかけるという事象ばかりである。実際、アメリカはベトナムを始めイラクやアフガニスタンやイランなどに出っ張り、中国はチベットやウイグルなどの自治区の人々を弾圧し、ロシアはチェチェンやクリミアを武力で制圧しているという具合である。三大国の傍若無人の武力主義が世界の不安を煽っている元凶と言うべきなのだ。

事実、核兵器のみならず、長中短距離の各種ミサイルも、高速爆撃機も、スパイ衛星も、ドローンも、戦車も、空母も、潜水艦も、あらゆる軍事装備において、この三国に匹敵する国はない。だから、世界の軍拡競争を主要に推進しているのもこの三国である。そして三国のうち、主としてアメリカと軍事同盟を結んでいる国々（NATOなど多国間条約に加盟した国々、日米・米韓・米比などの二国間安全保障条約国や相互防衛条約国など）がその協定の下で軍拡路線に追随させられているというのが実情だろう。現に、NATO諸国は軍事費をGDPの二％以上とすることをアメリカに迫られ、日韓は米軍の駐留費増額の圧力をかけられている。それに呼応して日本は軍事予算を増額し、アメリカから武器を爆買いして軍拡路線をひた走っている有様である。

どの国も三つの軍事大国に対して軍事力で対抗しようと思ってはいない（米中は対立しても、日本は中国との戦争は夢にも考えていない）のだが、軍拡路線を採用しているのには別の重要な理由がある。軍拡によって生じる巨大な軍需利権を国家や軍産複合体が独占することである。このような経済的利権がある限り、自らは戦争を仕掛ける意図はなくとも、軍拡路線を採り続けるのは必然となる。こうして、世界の軍事増強路線は絶え間なく継続し拡大しているのである。

なぜ軍拡競争が止まらないか

言わずもがななのだが、三つの軍事大国とそれに追随する同盟諸国が軍拡路線を採用する政治的・経済的理由は以下の三つであろう。

第一は、権力を握った為政者が権力を維持するために採る手段は、一方で国民が団結しないよう分断しつつ、他方で外敵による脅威を煽り国民の結束を図ることである。アメリカのトランプ大統領がその見本で、「アメリカ第一」を分断と結束の双方に使い分けていた。貿易摩擦からコンピューターそしてコロナ騒動まで、あらゆる問題で中国を主敵と見定めて軍事増強に利用してきたことを見れば明らかだろう。宇宙軍を新設したのも中国が急進展させている宇宙政策に対抗するためである。また、核政策の見直しで使える小型核兵器を開発し、ロシアと結んでいた核兵器制限の二国間条約の解消（中距離弾道弾ＩＮＦ条約破棄や戦略兵器削減条約ＳＴＡＲＴの継続拒否）を進めるのも、主敵たる中国を孤立させる作戦と言えよう。とはいえ、米国は中国との本格的な戦争を考えているわけでなく、中国の躍進を快く思わない国民に迎合しているのである。

日本は米国追随路線の下、「美しい日本を取り戻す」というような懐古的な言い方で戦前の日本への回帰を促し、日本の戦争犯罪を一切無かったものとする日本美化論で軍国主義路線を強めている。そのターゲットとして、北朝鮮を国民が結束すべき主要な外敵として利用しつつ、中国脅威論を煽り、徴用工問題で韓国を一方的に非難するのも、国民を結束するための手段なのである。いずれも軍拡の口実としている。とはいえ他方では、インバウンドと称して中国・韓国からの観光客を多数受け入れてきたのは、経済的利得が手放せないためである。軍拡と経済を両立させる苦肉の策なのだ。

第二点目は先に述べた軍需利権で、軍事大国の三国及び軍事同盟諸国においては、いわゆる軍産複合体（軍と軍需産業の相互依存体制）及びそれを支える官僚機構の利権の維持・拡大のために、政治を動かし世論を動員するための絶えざる力が働いていることである。かつては「ミサイルギャップ」と称して敵国よりミサイル能力が劣っていると強調して軍事増強を図ってきた。今ではミサイルだけに限らず、あらゆる軍事装備について敵国や競争国の開発状況を大げさに見せつけ、後れてはならないと喧伝（けんでん）している。軍備競争に一歩でも引けを取ることは直ちに敗北につながると脅して軍備の充実・拡大を迫っているのである。日本の防衛省の決まり文句は「技術的優位」で、競い合う相手より戦闘能力の技術が勝ることを日常の目標とし、さらには「ゲームチェンジャー」として、新局面を拓く新規の軍事開発を常に行わなければ敵に不覚を取ると煽っている。

第三点目は、国民の間に根強くある、武力で国を守らねば危険である、との意識の強化である。先の二点は、まさにその意識を涵養（かんよう）して軍事を強化することを当然と考える国民を増やすために企てられている。国民の多くは戦争に反対だと言い、戦争は悲惨であると言う。しかし、「国が侵略されたらどうする？」と問われると、自衛のための軍事的組織を持ち、それなりの軍事力を持たねばならないと思ってしまう。いったんそう思い込むと、当然、武器を充実させねばならないとなり、軍事力を強化しておけば、敵もそう簡単に攻め込んでこないだろうと考える。こうして、軍事増強をすれば戦争を阻止できると考え、必然的に自衛隊の軍事力の増強は当然ということになる。さらには、北朝鮮なり中国なり韓国なりを敵国と見做す風潮が強くなると、その雰囲気に流され、専守防衛に留まらず、海を越えて敵を叩くことができる武力も備えておかねばならない、と考えるようになってしまう。そして、敵から攻撃されるより前に敵の基地を先に叩くべしと、次々とエスカレートしていくのが常なのである。軍備による戦争抑止論が行き着く先で、そのことをもう少し考えてみよう。

抑止力とは何か

イージス・アショアの配備計画が白紙に戻されたとたん、自民党の国防族が先頭になって敵基地攻撃能力の保持を唱導し始めた。ただ、敵基地攻撃とは余りに露骨に専守防衛をかなぐり捨て攻撃的な印象を与えるというので、自衛攻撃能力とか、相手領域内ミサイル等阻止能力と言い換えているが、海を越えて相手側に打撃を与え得る攻撃能力の獲得を目的としていることには違いがない。先に述べたように、日本は果てしない軍事増強路線に嵌(はま)り込んでいるのだが、なぜこんな無駄な軍拡路線を歩んでいるのだろうか。私はこれを「軍事的抑止力論のパラドックス」と呼んでいる。要するに軍事力によって戦争を抑止しようとすると、果てしない軍拡競争のアリ地獄に落ち込んでしまうということである。折しも、二〇二〇年八月四日に自民党から出された提言は「国民を守るための抑止力向上に関する提言」と題されている。彼らは軍事力による抑止力しか考えていないのだ。そこで「真の抑止力は何か」を考えてみたいと思う。

抑止力とは、敵に軍事的攻撃を思いとどまらせる力のこと、端的に言えば、もし敵が軍事攻撃を加えてくれば、その何倍もの軍事力によって反撃を加えるぞ、との脅しのことである。事実、二〇二〇年六月一八日の記者会見で安倍首相は、「相手に例えば日本にミサイルを撃ち込もう、しかしそれは止めた方がいいと考えさせる。これが抑止力ですよね」と言っているが、まさにより強い軍事力の脅しによって攻撃を止めさせることを抑止力と言っている。いずれの国も事あるごとに軍事パレードを行い、最新鋭の武器を堂々と誇示するのはそのためである。

このような軍事的抑止力を当然としているのが世界の趨勢で、仮想敵国を想定し、そこからの攻撃を抑止するためには、自国は敵国を上回る軍事力を持たねばならない。しかし、それだけでは安心しておれない。敵国は必ずそれを上回る軍事力を持とうとするだろうから、自国の軍事力も常に増強し続けねばならない。こうして軍拡はとめどもなく続く。軍事費の増大は軍事的抑止力が陥る必然の道なのである。最後に行く着く先は、現在の最強兵器である核で武装する以外になく、核抑止論に行かざるを得ないことになる。核を持たなければ、核大国の傘の下に入る選択をする。日本の歴代の首相は（安倍首相も）、「小型核兵器の配備と使用は憲法で許されている」

との閣議決定を行ってきた。日本は、既に核抑止論に行き着いているというのが現状なのである。

この軍事的抑止の口実は、昔から言われてきた「座して自滅を待つべしというのが憲法の趣旨とは考えられない」というものであろう。この言葉は、武力で国を守らねば危険であるとの、多くの人々が共有している意識でもある。そのような意識をいっそう強化しているのが（北朝鮮などの）仮想敵国の脅威論で、これらの国々の軍事的脅威を大きく宣伝して、これに攻撃されたら「座して自滅するのか」と国民を脅迫するのである。実際、イージス・アショアの中止が決まるや、直ちに敵国がミサイルを撃ち込んできたらどうするのかと迫り、敵国の基地を叩く能力を備えるのは当然、という論が持ちだしている。

人間力による戦争の抑止

このような軍事力に依拠した安全保障の考え方を「国家による軍事的安全保障」と呼ぶとすれば、これに対置すべきなのは「人間の安全保障」であろう。個々人の生命・生活・人権を守ることを最優先とし、これによって人々の安全と安心を確実なものとすることが第一という考え方で、そこには軍事力は一切関与しない。これを敷衍（ふえん）して、私は、軍事力による戦争の抑止ではなく、「人間力による戦争の抑止」を目指すべきではないかと言いたい。

日本国憲法の本来の趣旨とは、国家間で紛争や対立や意見の齟齬があった場合、武力に訴えることなく、徹底して平和主義の立場に立って働きかけよ、というものである。だから「座して平和を待つ」のでもない。侵略の危険性があるような状況になれば、話し合い・説得・交渉・妥協などの平和的な外交手段で解決を図るということであり、「侵略される」という状況を一切招かない決心のことである。これが「人間力による戦争の抑止」である。非武装の人間の平和的行動こそが戦争を真に抑止するのだ。

軍事力による抑止論は先に述べたようにアリ地獄でしかない。しかし、人間は長い間戦争に慣らされてきたため、侵略という問いが発せられると、それを武力によって抑止するという発想から抜けきらない。そして、どんな敵がいるのか、どこまで武装するのか、そもそもなぜ戦うのか、戦う以外の方法はないのか、というようなことを綿密に考えずに、軍事力による抑止論に走ってしまう。戦争そのものが止揚されている現代においては、そのような思い込みは、もはや過去の残滓に過ぎないという歴史的事実をしっかり認識する必要がある。

戦争を招かない最大の抑止力は、人間の理性であり、寛容の精神であり、それらを人間すべてが共有しているとの信念である。それが人間力による抑止の真髄で、日本国憲法の平和主義はここに根差しており、すべてはここから出発することを銘記すべきなのではないか、今私たちが自問すべきなのは、そのような憲法の平和主義を貫徹するような努力を本当に行っているか、ということなのである。私はかつて「ピカソで国を守ろう」というスローガンを唱えたことがあるが、平和主義は文化の粋が満ちている国でこそ実現すると思っている。

第7章　科学技術の軍事利用の源流をたどって

日本では、第二次世界大戦後、少なくとも公式には研究者は戦争のための研究を行わないことを誓ってきたが、この数年軍事研究への動員が始まっている。具体的には、二〇一五年度から防衛装備庁が主宰する「安全保障技術研究推進制度」と称する、大学や公約研究機関の研究者に向けた競争的資金による委託研究が開始されたことがある。おそらく、今後さらにさまざまな形で科学・技術の軍事利用が拡大されていくであろうと想像され、大学における産学共同が本格化して今や産学官連携が当然のようになったのと似て、軍学共同が拡大し、やがて軍産学複合体への道をたどるのではないかと懸念される。今、日本のアカデミアは非常に危ない状況にあり、その警告をするのが本章の目的である。

以下本章前半においては「軍学共同の歴史」として、富国強兵で始まった明治以来の日本の科学・技術政策の下での軍学共同路線から、第二次世界大戦での戦争への協力を反省し平和憲法の下でアカデミアが軍事研究と一線を画してきたこと、しかし米軍資金の導入問題など軍との間の関係のなかでアカデミアも変質してきた歴史をまとめる。軍学共同は、ほとんどの国では当然のように行われているのに対し、軍学共同を公式には拒否してきた戦後の日本はむしろ稀有な国であったのだが、それが徐々に崩されているのである。

そして後半においては「急進展する軍学共同」として、ここ数年で急速に進展する軍学共同の実態をまとめる。ＤＡＲＰＡ（国防高等研究計画局）が積極的に進めている民間技術の軍事技術への転用の方式を学んだ防衛省は、さまざまなやり方でアカデミアを取り込む作戦を展開する一方、大学や公的研究機関では経済論理が貫徹するようになって、研究費を外部から獲得することが求められ、必然的に資金が潤沢な軍事研究へと誘引されるという事態が生じている。そして、その口実が科学・技術の「両義性（デュアルユース）」なのである。いかなる科学・技術の成果も軍事利用と民生利用の区別がなく、それは使い方の問題だから開発者たる科学者・技術者の責任はないとする主張のことだ。さらに、いかなる資金であろうと科学・技術を発展させるためであれば歓迎するとの科学者・技術者の心情が背景にある。大学の変質と併せて、今後のアカデミアの方向を考える上で重大問題となるであろう。

明治以来の科学技術政策

西洋に遅れて近代国家の仲間入りした日本は、国家が主導して産業革命を起こすための技術の導入を優先し、それによって国を富まして西欧列強に植民地化されないように強い軍隊を持つこと、つまり「富国強兵」が国家目標であり、科学技術政策もその目標の達成を優先するために打ち出された。一八八六年に出された帝国大学令で「帝国大学は国家の須要に応ずる学術技芸を教授し及びその蘊奥を攻究するを以て目的とす」とあるように、学問の研究を大学の目的に掲げてはいるが、それは国家のためであって、決して学問それ自身のためではなかった。そのためもあって、科学者の意識も国家につくすことを第一義としていたのである。

むろん、お雇い外国人教師の時代に育った日本人科学者が独り立ちし、やがて国際的な業績を挙げるようになってきたのも事実である。その一例が寺田寅彦で、X線回折の研究でブラッグ父子とノーベル賞を競うような業績を挙げている。その他、北里柴三郎、長岡半太郎、鈴木梅太郎、高峰譲吉、高木貞二など、国際的に高い評価を得た学者が何人も出ている（のだが、いずれも単独の仕事であり、広く学界のレベルを上げることにはあまり寄与しなかった）。いくら国家のための大学ではあっても科学は自律的に進むという側面は否定できず、応用的研究が中心であったとはいえ基礎研究抜きにしては進められないから、そこで優れた仕事が出るということであったのだ。

とはいえ、第一次世界大戦が始まると西欧からの機械や化学製品が輸入できなくなり、それを自前で生産するための技術開発をしなければならず、その基礎となる物理学・化学の研究を振興する必要に迫られることになった。兵器の近代化を目指す軍事技術からの強い要望もあった。それが理化学研究所の設立（一九一七年）や東北大学鉄鋼研究所（後の金属材料研究所）の創設（一九一九年）などにもつながったのである。それ以外に、一九一四年から二九年までの一五年間に四〇余りの公立研究機関を設置しており、技術の振興と産業の発展とが二人三脚で進められるようになった。その結果として、多くの科学者・工学者が産業や軍部と結びつくようになっていったのである。特に、テクノクラート官僚が出現して技術者の組織化を図り、それが第二次世界大戦における科学動員の中心的推進者となった。

　科学業績の栄誉を称えるものとして一九一一年から帝国学士院賞が授与されるようになったが、純粋な基礎科学としては第一回の木村栄のＺ項の発見、一九一四の年日下部四郎太（くさかべしろうた）の岩石に関する研究、一九一六年の本多光太郎の鉄に関する研究、一九一七年の寺田寅彦・西川正治のＸ線回折の研究、一九一九年の石原純の相対論・万有引力・量子論の研究などがあるのに対し、一九一三年には近藤基樹の「軍艦の設計殊に巡洋戦艦設計」に、一九二八年には平賀譲の「高速度艦船に関する研究」に与えられているように軍事技術研究振興にも配慮されていることも明らかである。また、本多光太郎の金属・磁性分野の研究は、その後日本の研究が世界をリードしたのだが、重化学工業化と軍事力増強を推進する国家の要請を受けて重点的に推進されたものであることも明白だろう。要するに、資源の貧困を科学技術の振興によって補う意図と軍事開発という目的のもとに、基礎科学の育成をも行うようになったのである。

　第二次世界大戦までに科学行政で行われたのは、研究体制の近代化・合理化と研究費の増額であり、それは産業の振興、対外経済競争力の強化、そして戦時動員の基盤の培養、という三つの目標のためであった。一九三三年から研究助成事業を行うようになった日本学術振興会は、その研究費の配分システムを通じて産業的・軍事的要請に応じるという役割を果たすことになった。例えば、個人研究援助においては、航空燃料、無線装置、特殊鋼材製造、不足資源問題の解決、耐蝕材料および腐食防止などの分野に多額の研究費を割り当てており、軍事物資の研究と結びついていた。これらによって得られた成果は戦後日本の科学の発展に引き継がれるが、軍事に主導されて本格的な研究が開始されたことは否定できない。

その具体的現れは、国が膨大な数の試験研究機関（大学附置と各省庁附属がある）を設置したことで、微生物研究所、電気通信研究所、南洋庁水産試験場、熱帯医学研究所、産業科学研究所、結核研究所、低温科学研究所、流体工学研究所、風土病研究所など、ほとんどが今日まで存続している。すぐに戦争に役立つ科学動員ではなく、研究を通じて国に尽くすという形で科学の推進に利用されたのである。特に、植民地科学と呼ばれた分野として、南洋の地質や気候の研究、熱帯生物や熱帯病の研究、満州資源調査団など、植民地経営を念頭においた科学の分野にも資金が投じられていることが注目される。

一九四〇年に閣議決定された科学動員計画要綱において、研究者と資材の確保・配分の権限を政府が握ることを宣言し、いくつかの題目については総動員試験研究令を発動した。日本学術振興会は、陸軍・海軍・商工省に対して「時局緊急問題」の提出を求め、集まった課題から選んで研究テーマとして取り上げて研究援助を行った。文部省が新設した科学研究費交付金は、基礎研究のために組まれたということになっているが、やがて戦争への動員のために使われるようになっていった。また、それまで基礎研究の充実を説いていた若手・中堅研究者から積極的な戦争協力の声が上がるようになった。例えば、仁科芳雄（にしなよしお）は、戦争中も純粋科学を疎かにしてはならないと述べつつ、「今や科学は技術と一体となって大進軍を起こさねばならない」と主張し、科学動員推進の積極的発言をしている。科学界の近代化と戦争への科学動員の動きが結びついていたのである。

最終的には、学術研究会議（日本学術会議の前身）の下に科学研究動員委員会がおかれ、重要研究題目の策定とそのための共同研究組織が作られることになった。また、内閣に軍官民からなる研究動員会議をおき、そこで重要研究課題を決定して研究者を戦時研究員に任命し、資材・研究費を優先的に手当てすることにした。こうして科学の総動員体制が作られたのである。そして、一九四〇年と比べて一九四四年には、科学研究費交付金は約六倍（三〇〇万円から一九〇〇万円に）、日本学術振興会研究費は二・五倍（一二〇万円から三〇〇万円に）と増加しており、陸海軍の臨時軍事費中の研究費は一九四二年の約一億円から四五年の約三億円と急上昇している。これを見ると文部省の研究費に比べて軍事費中の研究費が二ケタ大きく、軍事研究の比率がいかに圧倒的であったかがわかる。ともあれ、戦争中の科学研究費は大幅に増額されたのである。また戦時中に創設された軍事に絡む研究所も多く（東工大の窯業研究所、東北大の科学計測研究所や電気通信研究所、北大の触媒研究所、阪大の熱帯植物化学研究所、名大の南方医学研究所、京大や九大の木材研究所、九大の弾性工学研究所、東大の南方自然学研究所や輻射線化学研究所など）科学者たちは戦争の果実を十分に味わったのである。

戦後の反省、しかし……

敗戦を迎えて、学術界が軍に従属していたことへの反省があった。一九四九年に日本学術会議が発足し、その創立総会において「われわれは、これまでわが国の科学者がとりきたった態度について強く反省し、今後は、科学が文化国家ないしは平和国家の基礎であるとの確信の下にわが国の平和的復興と人類の福祉増進のために貢献せんことを誓う」という格調高い決議を挙げている。明治維新以来、国家のための学問研究であり、特に第二次世界大戦中においては軍事研究に積極的に協力して国民のための学術でなかったことを反省して、文化と平和のための学問であるべきことを誓ったのである。

しかし、坂田昌一が書いているように[1]、この決議、とりわけ「これまでとりきたった態度について強く反省し」の文言に賛成しかねるという意見が日本学術会議の議論で表明された。その理由は、「国家が戦争をはじめた以上、国民である科学者がこれに協力するのは当然のことであり、戦争が終わった現在、過去のことを云々するのは却ってよくないのではないか」というものであった。愛国心から国策に協力するのは当然だとして、過去をきちんと清算しようとしない会員もいたのである。科学の国際性より愛国心を優占する状況について、現在の科学者たちがこれを克服していると言えるであろうか。

さらに、翌年の一九五〇年の第六回総会において、「さきの声明（創立総会声明）を実現し、科学者としての節操を守るためにも戦争を目的とする科学の研究には今後絶対に従わないわれわれの決意を表明する」と決議した。国会において戦争を放棄した新憲法が成立したのだから、科学者の国会としての日本学術会議も戦争のための科学を放棄するという宣言を行ったのである。坂田昌一は、この声明は「われわれ日本の科学者の全人類に対する義務とさえいえるであろう」と高く評価している。アメリカでは科学者が（とりわけ物理学者が）戦争を勝利させたとして科学と軍事が強く結びついていったのとは対照的に、科学者は軍事と手を切って科学のみの論理に従って研究すべきであると主張したのである。

しかし、坂田昌一の記述によれば[2]、一九五〇年に日本学術会議の学問・思想の自由保障委員会が全国の科学者にアンケートを出し、「過去十数年間において学問の自由がもっとも実現されていたのはどの時期であったか」と質問したとき、「太平洋戦争中であった」という回答が多かったとのことである。これは、おそらく戦時中の軍からの潤沢で自由に使える研究費があったためと考えられる。つまり、研究費の量と研究の自由が等置されており、研究費さえ保証されれば研究の自由が確保されたと誤認していることを物語っている。科学者は研究費がなければ研究ができないから、何が何でも研究費が欲しい、それが軍からの金であっても構わない、とにかく研究が続行できねば研究の自由もあり得ない。そう考えている科学者は、研究費不足が深刻な現在、多くいることだろう。

第二次世界大戦中の行動を反省したはずの科学者であったのだが、そもそもそれに同意しない科学者が増えており、現在ではさらに多くの科学者が戦争や軍事との関わりについてタブーの意識を持たなくなっているのである。

米軍資金問題の反省、しかし……

一九六六年に日本物理学会が開催した半導体国際会議に米軍極東研究開発局から資金援助を受けていたことが広く社会で問題とされ、さらに日本学術会議のみならず国会でも厳しい議論が交わされることになった。一九五〇年の日本学術会議の声明から一六年経ち、その間の日本の復興、とりわけ学術界の再建や国際的な学問的地位の上昇など日本は科学の分野において着々と存在感を増していたのだが、まだ国家予算からの科学研究への投資は少ない状態であった。特に、外国へ出かけたり外国人を招請するための経費や外国からの機器やサンプルの輸入などについて厳しい制限があり、日本の学界は科学の国際性については飢餓状態であった。そこに米軍が目をつけて資金提供を行ったのである。

実際、一九五九年から一九六七年までの間に日本物理学会のみならず多くの大学・研究機関・学会が米軍からの資金提供を受けていたことが判明した[3]。国立大学では東大や京大など一四大学四三件、公立大学では横市大や阪市大など五大学一三件、私立大学では慶応大学や慈恵医大など六大学一七件、民間機関として北里研や山階鳥類研など一〇件、その他として日本物理学会・日本生理学会・国立療養所の三件が米軍資金を受け取っていた。日本の学界全体が米軍資金に汚染されていたのである。

このとき東大では医学部での米軍資金の導入の問題とともに自衛官の入学問題が発生しており、当時の大河内総長が「軍事研究は一切これを行わない方針であるのみならず、外国をも含めて軍関係者から研究援助を受けないことは本学の一貫した方針である」と評議会で発言している。これは一九五〇年の南原繁、一九五九年の茅誠司に続く「東大は軍事研究には関与しない」旨を述べた総長談話として記憶されている。しかし、大河内発言には、科学の両義性について「研究者の学問的良心と部局の良識によって決められるべき」とのコメントも付いており、この段階で既にデュアルユース問題として意識されていたことがわかる。

出火元であった日本物理学会は一九六七年に臨時総会を開いて激論の末、「今後内外を問わず、一切の軍隊からの援助、その他一切の協力関係を持たない」（決議三）を決定した。外国では軍が科学研究の援助を行っており、軍関係者が学会に参加するのも当たり前であるとして、この決議に反対する意見も出されたが、初心に戻って軍隊とのあらゆる関係を持たないことを誓ったのである。また日本学術会議（朝永振一郎が会長であった）も第四九回総会において再び「戦争目的のための科学研究を行わない」声明を出した。

しかし、時間が経つにつれこの誓いは忘れ去られていく。日本以外では軍関係者であろうと区別なく学会や大学に出入りできるが、日本ではそれができないため外国から学問の自由を阻害しているとクレームが付けられたこともある。軍事関係者の扱いに関して「国際基準」を日本は満たしていないとの批難である。また、日本の（当時の）予算制度では国際会議出席や外国人招請のための旅費は非常に貧困であったため、外国から旅費援助なしで来てもらうのがほとんどであった。要するに外国人研究者と対等な関係が結べないとの不満が高くなっていたのである。

その具体的な表れとして、日本物理学会が一九九五年の第五〇期委員会において、上記の（決議三）の規定を緩めて「学会が拒否するのは明白な軍事研究である」ということにした。その理由は、「軍事研究といえども基礎研究とつながっており、境界を定めることができないからである」というもので、「明白な軍事研究」以外は許されるとしたのである。伊達会長の解説によれば、「研究費が軍関係から出ていたり、軍関係者の研究が提出されても、その研究内容が明白な軍事研究でなければ拒否しない」、「論文の謝辞に軍関係者が入っていても拒否しない」、「共催団体に軍関係者が若干入っていても拒否しない」というわけだ。その理由は、これらは国際慣行であり、国際対応のためには必要というもので、これによって軍当局との間に設けた障壁を大きく引き下げたのであった。

米軍からの迂回援助

軍との協力関係が露わになって社会で問題とされると、研究者はいったん自粛するのだが、研究資金が欲しいという欲求が消えたわけではない。その研究資金も、直接研究のための研究費よりも、外国旅費や外国人招請費用や国際会議の開催費用など、そう大口ではないが使い勝手のよい資金への要求が強かった。国内の研究条件はそれなりに整えられてきたのだが、国際対応の部分での予算措置が遅れていたからだ。また、米軍もあまり大っぴらな資金提供では問題になることをよく心得ていて、大きな金額ではなく、それも迂回援助という形を採るようになっているのが現在の特徴だろう。

二〇一〇年九月八日の朝日新聞によれば、ＡＦＯＳＲ（米国国防総省空軍科学技術局）の傘下にあるＡＯＡＲＤ（アメリカ・アジア宇宙航空研究開発事務所）を通じて、日本の大学への研究助成・会議助成・旅行助成がなされている。資金を出す米軍（ＡＦＯＳＲ）は黒子となって表には出ず、人脈が通じている民間団体（ＡＯＡＲＤ）が表に出て募集や選考を行うのである。表向きはヒモ付きの援助でないことが売り物になっており、データによれば、研究助成は一九九九年には一件であったのが二〇〇九年には二四件にも増加している。これは軍隊にとっては宣伝費のようなもので、米軍に対して親近感を持たせるのが第一の目的のように思われる。このように軍事研究へのハードルを下げることは軍学共同を推進する第一歩なのである。

最近明らかになった事例として、ＯＮＲ（米国国防総省海軍海事技術研究本部）が資金を提供し、アメリカ国際無人機協会が主催した無人ボートの国際大会「マリタイム　ロボットX　チャレンジ」があった。さしずめ「海上を走るドローンの開発」である。日本では東大・東工大・阪大がこれに参加したのだが、それぞれが八〇〇万円の支援を受けて無人ボートを開発して性能を競う大会であった。軍はスポンサーだが後ろに控えていて、関係する国際無人機協会と称する民間機関がアイデアを募り、優秀な学生をリクルートする機会としているのである。

一方、二〇一二年から毎年開催されているDARPA主催のロボットコンテストは、三・一一の福島原発事故を契機にして始まったもので、災害時におけるロボットの運用を謳いつつも、軍事にも転用可能な技術の開拓を狙っていることを明言している。二〇一五年六月に行われた第三回のロボットコンテストには、日本は産業経済省の肝煎りで東大、産業技術総合研究所、東大・千葉工大・阪大・神大の五チームが参加した。

実は、最初の二〇一二年の大会で東大の情報理工学系研究科のグループが参加する希望を表明したが、同研究科が定めていた「科学研究ガイドライン（二〇一一年三月作成）」に「一切の例外なく軍事研究を禁止する」と定めていて、そのままでは参加できないことがわかった。そこで、このグループは東大を離れてベンチャー企業「SCHAFT」を立ち上げてロボコンに参加した（見事一位となってグーグルに買収された）。このことがあって情報理工学系研究科のガイドラインを書き換えるという問題へと発展したが、ここでは省略する。

おそらく、このような軍からの資金が迂回援助という形で多く成されているのではないかと想像される。しかし、どのような組織関係になっているかについては詳しく追跡調査をしなければならず、なかなか明らかにならないという問題点がある。

他方、五〇年以上昔からＮＡＴＯ主催の純粋科学の国際会議は多数開かれており、招待を受けた研究者は旅費援助を受け、何の違和感も持たずにこの会議に参加している。これはＮＡＴＯという軍事組織が科学者の間で市民権を得るための催しで、見事に成功している。そのような形で軍が人々の意識のなかに自然に入って来るという方式は、今後防衛省も進めていくのではないだろうか。

科学の軍事利用

戦争においては、科学・技術をいかに有効利用するか、科学者・技術者をどのようにして軍事研究に動員するかは、その勝敗を決する一つの重要な要素となることは論を俟たない。第一次世界大戦では、軍事技術として開発に成功した戦車・潜水艦・航空機・毒ガスの登場によって戦争が陸海空の総力戦となり、大量の戦死者を出すことになった。第二次世界大戦では、原爆やレーダーや高速爆撃機が開発されて兵士よりも多数の一般市民を巻き込んで多大な犠牲者を出すようになり、戦争が戦場だけに留まらないようになった。さらに、第二次世界大戦以降も続いてきた戦争（ベトナム戦争やイラク戦争など多くの局地戦争）では、新たな武器が投入されたが（枯葉剤、ステルス機、クラスター爆弾、巡航ミサイル、劣化ウラン弾、無人戦闘機ドローンなど）、それらの兵器開発の背景には科学者・技術者の協力が不可欠であったのは言うまでもない。

科学者が層として存在するようになったのは二〇世紀初頭であり、従って科学者の戦争への組織的動員が開始されたのも第一次世界大戦からであった。例えば、科学者を一般の兵士として徴用せずに軍事研究に専念させるようにした最初の国はドイツであった。イギリスではそのような制度はなく、科学者も一般人と同じく徴兵され、その中にノーベル賞は確実だと言われていたモーズリーが含まれていて一九一五年に戦死した。その弔辞において、著名な物理学者のラザフォードは「わが国の初期の軍事機構が柔軟性を欠き、兵役を志願した科学者を、若干の例外をのぞいて、前線における戦闘員として使役したことは、国家的な悲劇であります」と述べている。ここでラザフォードは、科学者が軍と戦争に協力することは無条件に善とし、科学者は戦争に役立つと売り込み、危険な前線に送るべきではないと主張して特権的な地位を要求しているのである[4]。

第二次世界大戦においては、軍事的目標を定めた特殊プロジェクト（マンハッタン計画が典型的）を立ち上げ、そこに日常的には軍部とは関係がない大学や研究機関の科学者を集中的に動員するという形が採用された。通常の状態では一般の科学者は民生研究を行っていて軍事研究とは一線を画しており、軍と学は切り離されている。しかし、第二次世界大戦以後、状況が変化し、通常時でも科学者の軍事研究へのインセンティブが強くなったのだ。

一つの理由は、戦争において、科学の利用や技術のイノベーションを通じてさまざまな必要品の開発が行われ、それが戦後になって民生利用されて人々の生活の便宜や効率を高めるようになったことが挙げられる。いわゆる「スピンオフ」で、「戦争は発明の母」と言う人もいるように、身の回りの製品で軍事研究由来のものは多くあるのは事実である。従って、科学・技術が戦争の勝利のためであるとともに、軍事開発から民生品を開発するためにも有用とされ、軍産学の連携を強めるという動きが組織的に起こるようになった。軍事研究には採算を考えずに大量の資金が提供できるからこそイノベーションが行われ、それを産業界が漁っているという構造を見ておかねばならない。

もう一つの理由は、戦後直ちに米ソの冷戦が開始され、常時戦時体制が組まれる状況となり、科学者の動員体制を維持することが求められたことである。戦争中に開発された原爆そして水爆や原子力潜水艦の開発や核戦争の準備など、戦時体制が続いたのだ。

その結果として、新しい軍事研究の方式が編み出された。いわゆるＤＡＲＰＡ方式である。ＤＡＲＰＡは国防高等研究計画局という名の通り、米国国防省の軍事研究の部門であって科学者を雇用しているのだが、自らは本格的な研究開発を行わず、民間で行われている基礎的な研究を観察しながら軍事利用が可能であると思われるものに資金援助し、研究計画として推進するのである。これなら、一般の科学者は軍から資金援助を受けて基礎研究を行いつつノウハウを提供し、軍事研究のお手伝いをする程度で済ませることができる。モノになりそうだと判断すれば、軍所属の研究所が引き取って本格的に開発研究を行うのである。また、ＤＡＲＰＡでは新しい軍事技術開発のためのアイデアを一般公募し、採択した課題について開発費を提供しつつ軍の研究所とも協力し合って技術開発し、軍に配備していくという方法も採用している。

科学者の軍学共同への参加を日常的に、かつ比較的安上がりで行おうというもので、科学者の方も大きな負担がなく、研究資金がかなり潤沢に得られるので好都合というわけで、このDARPA方式は世界的に広がっている。一説によれば、世界中で研究者の数は八〇〇万人であるのに対し、DARPAのような部門も含めて軍関係に所属する研究者は七〇万人いると想像されている。そして、軍事研究に費やされている予算は、一般の大学や研究機関のそれに比べて一〇倍にもなっているそうだ。科学の軍事化はこのような形で確実に進んでいるのである。

技術交流と防衛省の戦略

日本においては、防衛装備庁がDARPAの役割および軍事開発の主体を果たしている。そして、大学や研究機関の研究者との軍学共同は二つの方法を採って進められている。

一つが、防衛装備庁と大学・研究機関との「国内技術交流」である。二〇〇四年から開始された事業で、その一覧を次頁の表に示している。これで見るように、多くの国立や私立の大学とともに、独立行政法人から研究開発法人に衣替えした研究機関がこぞって技術交流に参加していることが注目される。特に、JAXA（宇宙航空研究開発機構）とNICT（情報研究開発機構）が積極的であることが目につくが、この二つの機関はかなり大きく軍事研究そのものにコミットし

防衛装備庁と大学・研究機関との「技術交流」一覧（2020年12月25日現在）

締結年	提携先	協力内容
2006	情報処理推進機構	「包括」情報セキュリティ分野
2008	海上技術安全研究所	「包括」艦艇分野
2014	情報通信研究機構	「包括」電子情報通信分野
2014	千葉大学	大型車両エンジン技術の技術情報交換等
2014	JAXA	「包括」航空宇宙分野
	JAXA	赤外線センサの技術情報交換
	JAXA	滞空型無人航空機技術の技術情報交換
2016	JAXA	航空エンジン技術の技術情報交換等
2018	横浜国立大学	複数無人機の協調制御技術アルゴリズム構築等
2018	JAXA	高レイノルズ数技術の情報交換等
	JAXA	可搬型レーダ計測技術に係る技術情報交換等
2018	防災科学技術研究所	気流場予測手法の技術情報交換等
2018	情報通信研究機構	サイバーセキュリティ及びネットワーク仮想化に関する技術情報交換等
2018	陸上・港湾・航空技術研究所	水際域及び水上域における移動体等に関する技術情報交換
2018	産業技術総合研究所	集積回路の電磁ノイズ耐性の向上に係る技術の評価に関する技術情報交換等
2018	海上保安庁	短波帯表面波レーダの研究における研究協力
2019	九州大学	海洋レーダを用いた海洋観測に関する研究協力
2019	海洋研究開発機構	「包括」海洋分野
	海洋研究開発機構	海洋無人機システムに係る技術情報交換等
	海洋研究開発機構	水中移動体通信の研究における研究協力
	海洋研究開発機構	海況予測に係る技術情報交換等
2019	JAXA	先進光学衛星に搭載される衛星搭載型2波長赤外線センサに関する研究協力
	JAXA	海面高度情報等を用いた海況予報等に係る技術情報交換等
2019	情報通信研究機構	量子鍵配送及び量子暗号に係る技術情報交換等
2020	情報通信研究機構	自由空間における量子暗号に係る技術情報交換等
2020	警察庁	被弾衝撃低減化技術の技術情報交換
2020	JAXA	極超音速飛行技術の技術情報交換等
	JAXA	夜間状況認識技術の研究に係る技術情報交換等
2020	海上技術安全研究所	船舶推進器の性能評価手法に関する研究協力

ているとと言って差し支えない。というのは、JAXAは「赤外線センサの技術研究」の題目で防衛省予算に二〇一四年度は四八〇〇万円、二〇一五年度は四八億円が計上され、NICTもサイバーセキュリティの研究で予算は明示されていないが防衛省予算表に具体的に掲げられているためである。実際の防衛省の装備計画のなかに位置づけられているのだ。今後、同様に防衛省予算に組み込まれていく可能性があるのはJAMSTEC（海洋研究開発機構）の水中無人機の開発で、海のドローン（無人操縦魚雷や小型潜水艦）であろう。宇宙と海洋と情報が、軍事開発目標となっているのだ。

技術交流事業は、公式には予算措置を伴わずに技術的要素の検討会のみを開催していることになっている。そこでは、機関間の一般的な交流の目的等が書かれた「研究協力に関する協定書」が調印され、それに従って「研究協力についての附属書」が交わされて実際の交流の詳細が記述されるという段取りで進められており、その書式及び文言はすべて防衛装備庁が作成したものである。すぐに述べるように、防衛省ペースで研究協力を進めることが意図されているのだ。そして「協定書」に書かれた研究成果の発表では、「研究協力の成果を外部に発表しようとする場合には、発表の内容、時期等について、他の当事者の書面による事前の承諾を得るものとする」とあり、防衛省が承諾しなければ研究成果の発表ができないことになっている。おそらく技術交流を行っていた千葉工大はこの点について不安を持ったのだろう、「ただし、甲又は乙は、正当な理由なくその承諾を拒んではならないものとする」という文章をわざわざ協定書に付け加えている。そのためかどうかわからないが、二年後に技術交流を中止している。

いずれにしろ、技術交流という名目で実質的な軍事研究が大学や研究機関で進行しており、やがてＪＡＸＡやＮＩＣＴと同じように防衛省で予算化されることを参加機関は期待しているのではないかと想像される。これは民生研究から軍事開発項目を探し出そうというＤＡＲＰＡ方式の最も効率的なやり方と言えるかもしれない。

このような防衛省の戦略について、おもしろい資料がある。二〇一一年一一月に開かれた「第九回防衛生産・技術基盤研究会」で使われたもので、外部研究者（「先生」と呼ぶ）と交渉に当たる防衛省の窓口の人間の対応マネージメント要領である。それはまず「先生のモチベーションの見分け方」として、軍事研究に引き込める研究者が何を気にしているかをはっきりつかむことから始めている。続いて、「先生との Give & Take に配慮」はまさに虎の巻で、研究者にどこまで譲歩（Give）するかを示して懐柔するノウハウの要点としている。そして、「先生に制約事項を説明」しなければならないとして、予算管理に対して厳しい条件を課していることを納得させるよう求める。軍事研究を行うと約束して金をもらったのに、実際は自分がしたい基礎研究に金を投じていたという戦時中の轍を踏ませないためだろう。そこで「大学の管理・運営部門への当方事情の説明」として、大学所定の「共同研究実施規定」の適用免除を申し出て、防衛装備庁（当時の技術研究本部）が用意した「協定書」に応じるよう説得せよと言っている。これが先の技術交流において実施されている防衛省所定の書式の適用で、特に成果の公表についての条件を遵守させようとしているように見える。というのは、各大学所定の規定だと、研究成果の自由な発表が真っ先に書かれているのが普通で、それを避けるためと考えられるからだ。

以上のように、技術交流は二〇年の歳月をかけて実績を積み上げて多くの参加が得られるようになり、それから防衛省予算に計上されるという「成果」も上がるようになっている。そこで、防衛省はいよいよ本格的に研究者個人を軍事研究に参加させるという道を拓くことを考えて打ち出したのが「安全保障技術研究推進制度」という競争的資金制度で、二〇一五年度に三億円の予算で公募した。その後、予算は二〇一六年度に倍の六億円、二〇一七年度にはなんと一一〇億円と大幅に増加し、以後は一〇〇億円の状態で推移している。この制度に対する動きは、第9章で詳述するので以下では省略する。

防衛省に協力する研究者たち

以上は、防衛省が主宰する技術交流と競争的資金制度への研究者の参加状況なのだが、このような軍事技術の開発に直接携わってはいないが、防衛省にかかわるさまざまなイベントに協力している研究者が多くいることを述べておきたい。直接の軍事研究には関与していなくても、防衛省の活動に「理解」を示し、科学動員に「素直に」ついていく研究者の数は非常に多いのである。

その代表的なものが、大学や研究機関の研究者が個人として防衛省防衛研究所や防衛装備庁が進めている軍事研究プロジェクトの評価委員に任命され、その研究の進捗状況や結果の評価を行うという役割である。例えば、艦船のフローノイズシミュレーターの研究では東大の船舶工学、東北大の流体工学の研究者が発令されこの任を果たし、哨戒（しょうかい）ヘリコプターのメインローターブレードの技術開発ではＪＡＸＡや都立科学技術大学の研究者が評価委員を勤めているという具合である。これまでの調査では、二〇〇三年から二〇一四年の間に六三のプログラムについて七四研究機関一七四人の研究者がこの役を勤めている。プロジェクトで進めている科学内容の評価についいて、防衛省として大学や研究機関の専門の研究者に相談しなければならないため依頼しているのだろうが、直接軍事研究に動員しないで、その内容を詳しく理解している研究者を増やしていくという防衛省の思惑もあるだろう。二〇一五年以降も継続して任命されているから、このような形での軍学共同は着々と進んでいると言える。

それ以外にも同様の研究者の利用法として、公募型の安全保障技術研究推進制度の審査委員（正式には評価委員）を委嘱する、防衛装備庁が主催する一年に一回の「防衛技術シンポジウム」に講師として招き研究交流を行う、防衛研究所が年に一回「防衛省シンポジウム」を行って防衛省の市民への広報を行っているが、それに大学や研究機関の研究者や役員を招いて軍学共同への歓迎ぶりを披露している（これについてすぐ後に述べる）。このように防衛省はさまざまに研究者を取り込む機会を狙っており、それによって軍事研究アレルギーを減らそうとしていることに注意しなければならない。実際、防衛省の戦略はそれなりに成功していて、自らのブログやホームページに防衛省の評価委員をしていることを記載している研究者がいて、あたかも「防衛省ご用達」を誇示しているかのようである。防衛省との関係をおおっぴらにした方がメリットがあると考えているのだろうが、そのような研究者への社会的批判を強めねばならないと思う。

二〇一五年三月に開催された「防衛省シンポジウム」に横浜国大の現職教授が招かれて発言した内容を紹介しておこう。彼は防衛省の競争的資金制度について、「ありがたい、基礎研究に対してファンドが欲しい」とあけすけにこの制度を歓迎する態度を示し、金さえ出してくれるなら何でも協力すると言わんばかりである。そして、「大学の内部だけでは研究を社会に活かすというモチベーションが弱いので、外からの吸引力が必要で、防衛省と共同研究するメリットは社会の課題に取り組んでいるとして学生の研究意欲が向上する」と、防衛省と社会を等置しており、いかにこの教授の視野が狭いかがわかる。そして、こう言いつつも「学生には防衛省との共同研究に拒否感を持っている者もいる」と、学生の方が軍事研究を忌避するという健全な感性を持っていることに困惑を感じており、「我々は基礎研究をするのだと言って理解させている」と、無責任な言い訳で学生たちに軍事研究の片棒を担がせようとしているのである。この発言から、軍学共同への反対運動は学生たち若者の健全性に依拠することが大事だとわかる。

科学者・技術者の意識

二〇一五年に国立研究機関に所属する研究者に対し、「第五期科学技術基本計画に向けて」として、待遇問題や研究条件などについて日本国家公務員労働組合連合会（国公労連）によるアンケート調査が行われたのだが、そこに「軍事研究・開発に参画する大学や国立研究開発法人が増えています。こうした軍事研究・開発を進めるべきだと思いますか?」という設問があった。これに対する回答で、「進めるべきではないと思う」が六四%あったのだが、「進めるべきだと思う」が三六%もあった。過半数が軍学共同に反対しているのだが、三分の一以上の研究者が賛成していること、それも四〇歳以下に限ると過半数が賛成であることも事実なのである。科学者・技術者の意識として、特に若手研究者に軍学共同を歓迎する側面があることは否定できないのだ。

このアンケートの自由記述欄に書かれた賛成派の意見には、「軍事研究によって科学・技術が発展してきた」、「最先端技術の応用先の一つが軍事であり、そこで初期投資をするのだから構わない」、「軍事技術も時がくれば民生利用が可能になる」、「軍事技術は民生技術の底上げとなる」などがあった。科学者・技術者には、いかなる目的であろうと、科学・技術の発展につながるのなら推進すると考える人間が多いのである。あるいは、科学者・技術者の発想として、給料も研究費も国家から保証されている(科学者や技術者は国立大学や国立研究所所属が多い)のだから、国家の要請なら、従うのが当然とする傾向が強いのも事実だろう。形式論理に従った、素朴な愛国主義、国家への義務感や忠誠心が強いのである。

それとともに、簡単には軍事技術と民生技術の区別がつかない(簡単に入れ替わる)というデュアルユース問題がある。自分の意識としては民生研究に従事しているのであり、それを軍事に転用するのは他人（つまり軍人）であって、自分には責任がないとの発想も強い。だから、防衛装備庁に協力はしていても直接の軍事利用に目をつむって、ひたすら科学・技術の発展のためと思い込もうとするのである。それが、先に述べた「戦争中が一番研究の自由があった」という感懐に結びついていると言える。第2章で述べたように、ナチスドイツにおいて多くの科学者・技術者はナチスに協力したのだが、彼らのほとんどは罪の意識を感じていない。「自分たちは科学・技術の発展のために尽くそうとしたのであり、その意味では非政治的に振る舞った」と考えていたからだ。その極端がハイゼンベルグで、ヒトラーは「科学を戦争のために利用しようとした」のだが、彼は「戦争を科学の（発展の）ために利用しようとした」と言われている。

このような科学者・技術者の意識（気質かもしれない）では、少しでも科学・技術の発展が期待されるなら軍と協力するのは当然、となってしまう。ここには、「誰のための、何のための、科学であり技術であるか」の省察がない。つまり、科学者・技術者としての社会的責任意識が欠如しており、科学・技術の発展という大義名分の下に、自分のしたいことをして何が悪いという自己本位の欲望しかないのである。科学者・技術者の社会的リテラシーを涵養する必要性を強く感じる。

大学の変貌

最後に、科学研究者の多くは（理学部・工学部を設置している）国立大学の教員なのだが、今国立大学が大きな曲がり角に差しかかっていることはどなたもご存知だろう。その結果として、彼らを軍学共同に追い込むような状況になりつつあることも否定できない。

国立大学が法人化された二〇〇四年から一七年が経ち、その間の「選択と集中」の科学技術政策によって大学への経済論理が貫徹するようになった。「役に立つ」とされた分野には資金が潤沢に投下される一方、それから外れた分野では研究費不足に苦しんでいるのである。その理由は、バラマキ予算という非難をかわすために一般運営費交付金の削減を継続してきたためで、教員が自由に使える経常的研究費が激減し、競争的資金の獲得に奔走せざるを得なくさせたのだ。それによって浮いた予算をグローバルCOEなど文科省が牛耳れる競争的補助金に回して大学同士を競わせるという施策を採った。今や、国立大学は文科省の顔色ばかりを窺って行動する体質になっている。

これに乗じて、文科省は教授会の権限を剥奪して学長のトップダウン方式を強め(二〇一四年)、各大学経営に関して外部委員のウェイトを大きくして遠隔操作できるようにしてきた。さらに、各大学・学部の設置目的や教育研究目標を明確にするという口実で「ミッションの再定義」を強要し(二〇一六年)、文系・社会系・教員養成系の分野を減らして「役に立つ」理工系に改組することを強行しようとしている。それに従わなければ一般運営費交付金のいっそうの削減を押しつけるというわけだ。政府・文科省に盾つかず、財界が望む大学を安上がりで作り上げることが目的なのである。

その渦中にあって、厳しい競争原理のために安直な論文の量産ばかりとなり、経済論理のために実利的に役に立つ分野ばかりが重宝され、地道で息の長い基本的な疑問に正面から取り組む研究や文化にのみ寄与するような分野の研究はすたれつつある。実際、理工系分野でも外国雑誌に発表される論文数や引用数が多い論文は外国のそれらに比べて劣勢となっており、日本人の研究への注目度が下がっているというデータが毎年のように出されている。日本の文化力や科学の基層力が失われる危険性が増大していると言わざるを得ない。

それと軌を一にするように、防衛省の競争的資金が公募され、文部科学省の大学財政政策が軍学共同を後押ししているのである。軍学共同が大学に持ち込まれることにより、防衛省からの資金が学長のコントロールが利かない委託研究費となって大学運営の治外法権となり、学生に軍事研究への親近感を持たせて疑問を抱かなくさせ、やがて秘密研究となって非公開の研究室を大学内に設置する、というような状況が増えていくだろう。広く市民に開かれた大学とは真逆の事態になり、結果として大学や研究者への社会的信頼が失われることになる。そして、科学や技術への市民からの信頼が失墜することが強く懸念される。

安倍政権の軍事化路線に便乗する形で、防衛省は軍学共同のための戦略を組み上げ、潤沢な予算を使って研究者を取り込もうとしてきた。しかし、日本学術会議による三度までの軍事研究への非協力の声明もあり、また平和憲法の精神が生きていて軍学共同に二の足を踏む研究者も多い。市民の科学への信頼感も、科学者は軍事研究を行わないということが根底にある。その健全さを保存し、より強めていくためにはどうすればいいのだろうか。

研究者個々人の良心や倫理観が大前提になるが、さらに大学や研究機関として「軍事研究には一切携わらない」という倫理規範を宣言し、組織全体として軍学共同には手を出さないことを市民に誓うのが重要なのではないだろうか。大学や研究機関の研究者が市民と一体となって平和と人々の福祉のための学問共同体を形成する、それを究極の目標としたいものである。

註

(1) 坂田昌一『科学者と社会』岩波書店、一九七二年、五〇頁。
(2) 同前、一二八頁。
(3) 『朝日新聞』一九六七年五月一九日。
(4) 山本義隆『原子・原子核・原子力――わたしが講義で伝えたかったこと』岩波書店、二〇一五年、一四二頁。

第8章　軍学共同の現段階

防衛装備庁が「装備品への適用面から着目される大学、独立行政法人の研究機関や企業等における独創的な研究を発掘し、将来有望な研究を育成する」（防衛省パンフより）ための競争的資金制度として「安全保障技術研究推進制度」（以下、推進制度）を発足させたのは二〇一五年度であった。

二〇一九年度で四年目を迎えたのだが、この間、防衛装備庁は応募者を増やすべく募集条件や研究種目などについて毎年のように手を加え、ようやく形として落ち着いてきたようである。

この推進制度は、「軍」セクターである防衛省が、「学」セクターである大学や公的研究機関（以下、大学等）の研究者を軍事研究に動員する「軍学共同」の露骨な動きであるとして、私も参加する「軍学共同反対連絡会」は反対の声をあげてきた。ここでは、この推進制度とはいかなるものなのか、募集内容の変遷を簡単にまとめた後、二〇一八年度の採択結果を踏まえて、軍学共同がいかなる局面を迎えているかについて分析する。とりわけ、今後、産学共同が軍と学を結ぶ役を果たす「迂回の軍学共同」が進む可能性があり、それに対する方策を考えてみたい。

安全保障技術研究推進制度とは何か

まず、この制度ができてから四年間の応募者数の推移と採択件数をまとめるが、その前に募集種目を説明しておこう。

《A型》年間最大三九〇〇万円（それ以下も含む、以下同）、三年間を上限とする。研究実績を積んだ、主としてシニア向け（大学の教授、准教授クラス）のカテゴリーと考えられる（二〇一六年度、一七年度には年間一〇〇〇万円クラスのB型があったが、一八年度からA型に統一された）。

《S型》五年間、総額で最大二〇億円。研究機関や分野をまたいだ研究実施体制を構築し、複数の研究計画を組み合わせて実施・管理する必要のある研究とあり、リーダー格が応募するカテゴリーである（二〇一七年度から開始）。

《C型》年間最大一三〇〇万円の比較的少額で、三年間を上限とする。まだ研究実績のないジュニア向け（大学の若手准教授、助教）のカテゴリーである（二〇一八年度開始）。

応募者数と採択数

		大学			公的研究機関			企業等			
年度	種目	A	S	C	A	S	C	A	S	C	計
2015年	応募者数	58	—	—	22	—	—	29	—	—	109
	採択数	4	—	—	3	—	—	2	—	—	9
2016年	応募者数	23	—	—	11	—	—	10	—	—	44
	採択数	5	—	—	2	—	—	3	—	—	10
2017年	応募者数	21	1	—	22	5	—	43	12	—	104
	採択数	0	0	—	3	2	—	5	4	—	14
2018年	応募者数	4	0	8	5	3	4	26	16	7	73
	採択数	0	0	3	2	2	3	3	5	2	20

A型ではこれまでの研究の実績が問われるが、C型では実績は問題にせず、独創的な着想に基づく提案や提案者の研究能力を審査対象にするとしている。

表に大学、公的研究機関、企業等の三つのカテゴリーに分けて、過去四年間の応募者数と採択数の一覧を示す。

二〇一五年にこの推進制度が発足したときの予算は三億円であり、翌一六年には六億円と倍増した。当初、装備庁は予算を小出しにして様子を探ろうとしたのではないか。軍学共同をタブーとしてきた日本で、どれほどの応募者があり、制度として定着するかどうか、自信がなかったのであろう。

ところが、二〇一五年度には予想以上の数の応募者があったことと、自民党の国防部会が二〇一六年春に一〇〇億円の予算に増額するよう後押しをしたこともあって、二〇一七年度の概算要求で一気に一〇〇億円に増額、要求以上の一一〇億円を獲得したのであった。ところが、二〇一六年度の応募者数は前年度の半分以下になり、装備庁は慌てたであろう。

ともあれ、二〇一七年度から大規模研究課題と称するS型の種目を増やして一〇〇億円程度を確保し（六から七件）、従来からのA型は三年分で一〇億円程度（総計でおおむね三〇件）とする方針としたらしい。

二〇一八年度は一〇一億円と前年度から予算が減額されたが、二〇一七年度のS型・A型に加えて、C型を一年で一〇件以下（三年間で三億円弱）含めるという形とした。大学からの応募が減り気味であることから、若手研究者からの応募を奨励するためであろう。しかし、C型には大学から八件、公的研究機関から四件、企業等から七件しかなく、防衛装備庁が大きく期待したほどには応募がなかった。二〇一九年度の概算要求は一〇三億円で、当面このような予算規模で進めていくのではないかと考えられる。その意味で、「形として落ち着いてきた」と先に述べたのである。

募集のことばの変遷――「民生技術」の強調

この四年間だけでも、この推進制度の募集要領の文言には多くの修正が施されてきた。研究者が受け入れやすいよう、制度が柔軟であることを示そうとしてきたのである。本章では二点だけ指摘しておく。

一つは、「いかなる研究を対象とするのか」という、制度のもっとも基本にかかわる記述の変化である。二〇一七年度までは次のように記されていた。

本制度で委託する研究は、防衛装備品そのものの研究開発ではなく、将来の装備品に適用できる（又は将来の防衛分野における研究開発に応用できる）可能性のある基礎技術（萌芽的な技術）を想定しています（対象としたものです）。

と基礎技術であることを強調しつつ、「将来の装備品に適用できる（二〇一五、一六年度）」とか「将来の防衛分野における研究開発に応用できる（二〇一七年度）」と、この制度での提案が防衛装備に使われることを否定していなかった。まったく装備開発に無関係な基礎研究の募集ではないとの急所は外せなかったのだろう。ところが、二〇一八年度の募集では、次のようになった。

本制度では防衛装備庁が自ら行う防衛装備品そのものの研究開発ではなく、先進的な民生技術についての基礎研究を対象としていることから、研究成果については広く民生分野で活用されることを期待しています。

このように、民生技術の基礎研究の募集であると、科学研究費補助金など通常の競争的資金の募集と変わらないことを強調しているのである。応募する研究者にとって自分の成果が防衛装備に使われることは戦争に加担することになり、拒否したい心情になるから、そのような懸念を払拭するために装備庁はこのような文章に修正したのだと思われる。

実際、私たちが推進制度に応募した大学へ抗議に行くと、共通して「先進的な民生技術についての基礎研究を対象としているとの文言があるから」、という弁明を聞くことになる。私に言わせれば、防衛装備庁は研究者の関心を惹き、警戒を解くために、このような建前で公募しているのであって、わざわざ防衛装備庁が民生技術の開発を募集するには何らかの裏があると考えるべきだと思うのだが、素直な研究者たちは文字通り受け取るらしい。

成果の公表・特定秘密・PO

もう一つは、二〇一七年度の募集から、「本制度のポイント」として、次の四点をあげるようになった。

①受託者による研究成果の公表を制限することはありません。
②特定秘密を始めとする秘密を受託者に提供することはありません。
③研究成果を特定秘密を始めとする秘密に指定することはありません。
④プログラムオフィサーが研究内容に介入することはありません。

これは、研究成果の自由な公開が阻害されないか、特定秘密保護法に抵触してトラブルが発生することはないか、プログラムオフィサー（PO）の介入で研究実施に障害が出ることがないか、といった、研究者が当然抱くであろう危惧に対して十分配慮することを保証しているのである。この文章が付け加わった理由は、二〇一六年一一月に開催された日本学術会議の「安全保障と学術に関する検討委員会」に私と防衛省の職員が招かれた席上で、さまざまな疑問や問題点が議論になったためである。

例えば二〇一五年度の公募要領では、「成果の公開を原則とする」と書いていながら、「委託契約事務処理要領」では、「本委託業務の成果を外部に発表しようとする場合には、発表の内容、時期等について、他の当事者（防衛装備庁のこと）の書面による事前の承諾を得るものとする」とあって、「書面による事前の承諾」がなければ発表できないという矛盾した要求をしていた。いわば二枚舌を使っていたのである。この矛盾は、二〇一七年度から「研究成果の公表を制限することはありません」と書き込まれて、一応解消された。

ところが、ＰＯに関する問題では、まだ曖昧な部分が残っていることを指摘しておきたい。公募要領の「１・４　本制度のポイント」の「（３）研究の進め方」では、

プログラムオフィサーが研究の進捗管理を実施しますので、協力をお願いします。なお、研究実施主体はあくまで研究実施者であることを十分に尊重して行うこととしており、プログラムオフィサーが、研究内容に介入することはありません。

とあるのだが、同じ公募要領の「３　研究の実施等について」の「３・１　研究の進め方」では、

ＰＯが研究の進捗管理を実施しますので、協力をお願いします。ＰＯが行う進捗管理は、研究の円滑な実施の観点から、必要に応じ、研究計画や研究内容について調整、助言又は指導を行うものとします。ただし、指導を行うときは、研究費の不正な使用及び不正な受給並びに研究活動における不正行為を未然に防止する必要があるとＰＤ（プログラムディレクター）が認めた場合のみとします。また、研究実施主体はあくまで研究実施者であることを十分尊重して行うこととしており、ＰＯが、研究実施者の意思に反して研究計画を変更させることはありません。

と長々と書かれている。よく読めば、ＰＯが研究計画や研究内容について調整や助言という形で進捗管理を行うことが許容されているのである。研究実施者は、ＰＯと二人きりの関係の中で、どのように扱われるか不明と言うべきだろう。

以上の二点は、研究者が安心して応募できるように装備庁が苦肉の策で修正を加えたものと思われるのだが、小手先の文言いじりの感がある。おそらく、装備庁としては推進制度が定着して研究者がこの資金に頼らざるを得ない状態になるままでは、公開の自由度があり、特定秘密保護法とは無関係で、ＰＯの干渉を少なくする、という方針を採るのだろう。その後どうなるかわからない。甘く見ては危険である。

二〇一八年度の採択結果応募数

二〇一八年度は、「経験不問」という種目のC型を新たに設けたにもかかわらず、全体として応募数が昨年より三割ほど減少している。なかでも大学からの応募が、二〇一五年度以来、五八件→二三件→二二件→一二件と三年連続で減少し、公的研究機関の応募も二〇一七年度から二〇一八年度にかけて二七件から一二件へと減少した。

応募減少の原因は、やはり日本学術会議が二〇一七年三月に決議した「軍事的安全保障研究に関する声明」において、研究者は軍事的安全保障研究（軍事研究のこと）に対して慎重であるべきことを述べ、大学等で議論するよう呼びかけたことが影響しているためと考えられる。実際、京都大学が軍事研究を行わないと決議したのを始め、多くの大学が推進制度に応募しないことを決めており、日本学術会議が一九五〇年と六七年に「戦争を目的とする科学の研究（軍事目的のための科学研究）を行わない決意の表明」をした精神は大学や公的研究機関の研究者にはまだ生きていると実感している。

しかし、若い研究者層においてはそのような伝統は十分に継承されておらず、「学問の自由があるのだからどこから研究費を得てもよく、ましてや研究予算が貧困な現代においては防衛省からの競争的資金も一つの選択肢である」、「国からの要請があればそれに従うのは当然であり、明らかな戦争のための研究でないなら構わない」といった意見も見られる。C型の種目に大学からの応募がそれなりにあった（八件）のはそのような考えからだろう。

さらに、豊橋技術科学大学が代表例だが、「競争的資金制度等による安全保障研究の取扱い」を策定して、「戦争を目的とする研究を本学の研究者が行わない」ための審査をするという体制を取ってはいるが、実際には装備庁の推進制度を受け入れるための規定として活用する、という巧妙な手法を採用している大学がある。

募集要領にある四つの「ありません」をそのまま鵜呑みにして何ら資金源としての問題はないとし、先に述べたように「先進的な民生技術についての基礎研究を対象としている」との文言を理由に応募を容認しているのである。また、そんなことは気にせず、獲得できる資金は何でも手を出すことを組織方針としている大学や公的研究機関もある。

これに対し、企業等からの応募数は二〇一七年度の五五件から一八年度には四九件と大きくは減少せず、特にS型については一二件から一六件へと増加していることが注目される。企業にとっては、新しい研究開発の初期投資を防衛省が肩代わりしてくれること、二〇一四年に「武器輸出三原則」から「防衛装備移転三原則」へと変わって以来、これまで軍事開発と無縁であった製造業も軍産複合体の一員に参入していこうとの企業戦略があると思われ、日本の企業の軍事化が進みつつあることが読み取れる。防衛省の立場から見れば、企業が軍事開発を大っぴらに行うようになっただけでなく、「産学官連携」による大学や公的研究機関との共同研究を通じて、大学等の研究者を軍事研究に誘い込む橋渡し役が期待できるわけである。後述するように、ベンチャー企業からの応募が多く採択されているのは、そのような意味もあるのではないだろうか。

採択研究課題について

推進制度では、毎年「募集する研究テーマ一覧」が二〇から三〇件ほど提示され、その各々のテーマについて、「期待される技術的解決方法（技術提案）の一例」を示した上で、「委託研究にあたって満たすべき条件」として「提案が必ず満たすべき条件」と「望ましい、または考慮すべき事項」が詳しく書かれている。これらの説明を読めば、応募者からのまったく自由な提案ではなく、大よその開発ターゲットは絞られていると言っていいだろう。

研究テーマとその説明をよく読むと、防衛装備庁としてどのような装備品と結びつけていこうとしているかが想像できる。これに関しては、井原聰氏（東北大学名誉教授、日本科学者会議事務局長）が作成された「採択課題の装備品（別称「対応兵器」）別分類表」があり、それを私なりに一部修正して次頁に表に整理してみた。二〇一五年度から二〇一七年度については募集種目ごとの採択数のみを示し、二〇一八年度については募集種目・採択課題名・代表研究機関を書いている。

この表を見れば、防衛装備庁がどのような分野に力点をおいているかがわかる。それらは、①水中通信や伝送、水中無人探査機、③赤外線用新素材、⑦極超高速飛行体エンジン開発、⑨各種センサー開発、⑪高周波パワーデバイス、⑫電力蓄積・電気貯蔵システム、⑬新素材開発である（番号は一四八頁の装備別分類に対応させている）。

実は、これらのテーマは、二〇一九年度の概算要求書に「主な研究開発」として予算要求している項目の、モジュール化UUV（Unmanned Underwater Vehicle：無人水中航走体）の研究（①）、

採択課題の装備別分類
(2015年度から2017年度までの採択数と2018年度の採択課題)

①潜水艦・艦船・無人水中探査機・海中での通信や電力伝送など
　2015年＝A型3件　2016年＝A型2件　2017年＝A型1件
　2018年＝S型2件　水中音響通信の高速化、長距離化(JAMSTEC)
　　　　　　　　　海中移動体への大電力伝送システム(パナソニック)
　　　　　C型1件　電磁誘導ワイヤレス電力伝送(サイエンスソリューションズ)
②ステルス戦闘機に対するメタマテリアル技術による電磁波・音響反射
　2015年＝A型1件
③赤外線新素材の開発
　2017年＝A型1件　S型1件
　2018年＝S型1件　グラフェンを利用した革新的赤外線センサー(富士通)
　　　　　A型1件　非晶質セラミックスによる赤外線光学材料(物質・材料研究機構)
④画像認識と移動体追尾
　2018年＝S型1件　可変鏡制御による光通信の伝送距離の増大(理化学研究所)
　　　　　C型1件　低輝度移動物体の高速自動検出技術(JAXA)
⑤高出力レーザー光源の開発
　2016年＝A型1件
⑥偵察・攻撃用の昆虫・小鳥サイズの小型飛行機の実現
⑦極超高速飛行体のためのエンジン開発
　2015年＝A型1件　2017年＝S型1件
　2018年＝A型1件　回転デトネーション波の詳細構造(JAXA)
⑧索敵のための合成開口レーダの能力向上
　2015年＝A型1件
⑨各種センサー開発
　2016年＝A型2件　2017年＝S型1件、A型2件
　2018年＝A型1件　超電導量子干渉素子を用いた磁気センサー(超電導センシング技術研究組合)
　　　　　C型2件　レーザーを用いた地中埋設物調査(桐蔭横浜大学)
　　　　　　　　　特異電気伝導度を用いた革新的磁気センサー(物質材料研究機構)
⑩毒ガス吸着材・分解剤
　2015年＝A型1件　2016年＝A型1件　2017年＝S型1件
⑪高周波パワーデバイス
　2015年＝A型1件　2017年＝S型1件
　2018年＝A型1件　β型酸化ガリウムを用いた半導体デバイス(ノベルクリスタル)
　　　　　　　　　C型1件メカニカルストレス負荷システム利用のデバイス(岡山大学)
⑫各種パワー蓄積・電池開発・小型発電
　2015年＝A型1件　2016年＝A型1件　2017年＝A型2件
　2018年＝S型1件　α型酸化ガリウム半導体によるパルス電源(FLOSFIA)
　　　　　C型1件　金属酸化物制御による高速充放電材料(東芝マテリアル)
⑬新素材開発
　2016年＝A型2件　2017年＝A型1件
　2018年＝S型2件　共晶セラミック材料による複合材料創製(超高温材料研究センター)
　　　　　　　　　グラフェンを用いた光検知素子の実現(三菱電機)
　　　　　C型1件　高温で安定なチタン合金の創製(物質材料研究機構)
⑭移動体通信ネットワーク
⑮サイバー攻撃防御
⑯AIの開発利用
　2018年＝A型1件　人間とAIとの合意形成手法の確立(三菱重工)
⑰ロボット
　2016年＝A型1件
　2018年＝C型1件　革新的MR流体アクチュエーター(大分大学)
⑱接着剤・接着条件
　2017年＝S型1件、A型1件

高感度広帯域な赤外線検知素子の研究（③）、潜水艦用高効率電力貯蔵・供給システムの研究（⑫）、極超音速誘導弾（スクラムジェットエンジン実現のため）の要素技術に関する研究（⑦）と重なっており、防衛省が予定している当面の装備品開発に役立てようとしていると考えられる。推進制度は基礎研究からの開発と言っているけれど、実際にはすでに手を付けている応用研究に活かそうというわけで、装備庁の姿勢は近視眼的と言わざるを得ない。

ただ、注目すべき新提案が採択されたことも指摘しておかねばならない。岡山大学の医学生理学系の研究者がC型に応募して採択された「メカニカルストレス負荷システム利用のデバイス」は、「高周波パワーデバイス」に分類したが、実は外界からのストレスが負荷された環境下での人間の情報伝達メカニズムを調べるセンシングデバイス（計測機器）に活かそうと提案しているもので、基礎医学関係からの最初の採択である。今後、このような医学と工学を結合した研究が増えるのではないだろうか。

二〇一八年度は企業からの提案が多く採択されているのが目立つのだが、防衛省の軍需調達に応じている大企業は、S型でパナソニック、富士通、三菱電機の三件、A型は三菱重工の一件、C型は東芝マテリアルの一件である。こうした大手軍需企業とともに、ベンチャー企業が同数の五件、採択されていることが注目される。S型二件が超高温材料研究センターとFLOSFIA、A型二件が超電導センシング技術研究組合とノベルクリスタルテクノロジー、C型一件がサイエンスソリューションズ、となっている。いずれも新材料や新素子の開発企業であり、起業した年も一九九〇年から二〇一六年でみな新しく、取引先あるいは関連組織として大学や大企業の名を連ねている。そのためか、四件は大学・公的研究機関・企業等を分担機関としているという特徴がある。もっぱら大企業の下請けをする中小企業とは異なり、独自の特殊技術製品を売り物にしたベンチャー企業が増え、今後、軍産複合体の一翼を成すようになっていくのではないだろうか。

防衛装備庁は待望しているのだが、おそらく適切な開発提案がないために採択されていない装備品開発として、⑥の偵察・攻撃用の「昆虫・小鳥サイズの小型飛行体の実現」がある。これは第二次世界大戦中に７３１部隊が開発した生物兵器（ノミにペスト菌を仕込んで敵陣に散布する等）を思い起こさせるものとして講演でよく紹介するのだが、そのためもあってか、現在は「生物を模擬した小型飛行体の実現」とテーマ名が変更されている。二〇一五年から四年間連続して研究テーマとして掲げられてきたが採択がなく、今後は⑯の「ＡＩの開発・利用」、あるいは⑰の「ロボット」と絡めて提案されることになるのではないか、と想像している。ＡＩとロボットは、今後拡大していくテーマとなる可能性があるからだ。

一方、⑮の「サイバー攻撃防御」は、二〇一九年度の防衛省予算の概算要求において「領域横断（クロスドメイン）作戦」として「サイバー攻撃対処態勢の強化」を謳って、かなりの規模で予算要求をしていることから、推進制度に頼らずに進めるという方針なのではないかと思われる。実際、概算要求では「サイバー防衛隊の充実・強化」として人員を一五〇名から二二〇名に増やし、防衛情報通信基盤の整備に一一〇億円、サイバー情報収集装置の整備に三八億円、そしてサイバー攻撃対処に係る部外力の活用（専門家の雇用・相談）に二四億円を要求しているからだ。つまり、サイバー攻撃への防御は、基礎から時間をかけて研究するというよりは、現実に生じる事件に具体的に対処していく方針のようである。万全の方法というものがないためだろう。

検討すべき課題

推進制度の募集種目がA型、S型、C型という形に定着し、予算規模もほぼ定常的になりつつあることもあり、じっくり腰を据えて、軍事のアカデミズムへの浸透、すなわち軍学共同に対峙する運動を広げていくことが求められている。今後検討すべき課題として考えていることを述べておこう。

文科省からの強力な「大学改革」の働きかけや学長への権限の集中などによって、大学行政が大きく歪もうとしているとの問題意識と結びつけて、軍学共同を全学的に論じなければならない。その場合、「このまま行けば、大学に対する軍事組織の影響が強くなるだろうが、それでいいのか」と問いかけ、あるべき大学政策を明示していくことである。

装備庁の推進制度に対する多くの大学の方針は、「慎重」あるいは「自粛」という態度で応募をしない状況にあるが、さらに研究予算が厳しくなると、「止むを得ず」あるいは「意に反するが」応募すると変わる可能性がある。やはり、大学として「軍事組織からの資金提供を一切受けない」とする、明文化した倫理規範を打ち出すことが必要で、そのために全学的議論を積み重ねることが求められる。一般に、学生・院生・若手教員など、若い年代ほど科学や技術が発展するなら研究資金の出所を問わない傾向が強い。少なくとも学生・院生に対して「あるべき科学研究のあり方」のような学習機会を持ち、「何のための、誰のための学問であるか」を省察する機会を多く作るべきであろう。推進制度に応募したり、課題が採択されたりした(分担研究機関としても)大学に対しての抗議の取り組みを続ける必要がある。北海道大学で課題採択者が推進制度の研究助成継続を辞退したのは、おそらく周囲からの働きかけがあったためと考えられる。やはり、多くの大学や教員は軍事的安全保障研究に深入りすることは避けたいと思っていることは確実で、その点を衝くことがポイントだろう。その際、大学への市民の目が厳しいことを認識するよう働きかけることが重要である。

これらは主として大学に関する課題だが、公的研究機関について述べておきたい。大学には学生に対する教育という重要な任務があり、それが社会の動向と強く結びつく窓口になっている。ところが、公的研究機関はもっぱら研究することだけが任務であることから、科学至上主義に陥りやすく、国家の要請を当然として受け入れてしまう傾向がある。そのため、推進制度の問題点に疑問を持たず、軍学共同に進んで加担していく危険性が高い。事実、大学に比べて応募件数の目減りは少なく、採択率も高い。特に、JAXA、JAMSTEC、物質・材料研究機構、理化学研究所は、推進制度の常連研究機関となりつつある。公的公共機関には大きな予算がプロジェクト経費として配分されており、国民に対して説明責任があることを強調しながら、軍学共同に参入していっていいのか、と常に働きかけていくことが重要だろう。私たちはこれまでＪＡＸＡなどに出かけて話し合いを持ってきたが、そのような機会をもっと頻繁に持ち、議論する活動を積み重ねたい。

「安全保障技術研究推進制度」の現状（二〇二〇年に加筆）

二〇二〇年度に六回目の公募・採択が行われ、予算規模は九五臆円で、二〇一九年度の一〇一億円から減少している。これまで六回の応募者総数の推移を見ると、二〇一五年度一〇九件、一六年度四四件、一七年度一〇四件、一八年度七三件、一九年度五七件（二次募集四四件）、二〇年度一二〇件で、ほぼ一〇〇件程度で定着した感がある。予算の使い方を見ると、Ａ型とＣ型は三年間継続していて累積するので、Ａ型で一〇億円、Ｃ型で3億円程度、Ｓ型は五年間累積なので八〇億円程度が目安となっているのではないかと想像される。なんとも潤沢な予算で、軍事のためなら惜しみなく金を注ぎ込む体質が読み取れる。

大学からの応募数は二〇一五年度五八件から、一六年度二三件、一七年度一二件、一八年度一二件、一九年度八件（二次募集は一件）、二〇年度九件となっており、一貫して減少して全体の一〇％を切るようになっている。一五年度には全体の五三％を占めていたことを思えば、大学の軍事研究に対する否定的な態度は定着してきたのではないかと思われる。日本学術会議の「軍事的安全保障研究に関する声明」で、応募に対して慎重であるべきことが謳われたことが大きい。それとともに、教育の場である大学が軍事研究を行うことに対する社会の否定的な雰囲気があるためと思っている。しかし、二〇一九年度の二次募集で大学からの応募が一件しかなかったにもかかわらず、採択されることになった。それも国大協の会長校からの応募で、大学からの応募を増やしたいとの魂胆からの優遇策ではなかったか、と勘繰らざるを得ない。

他方、研究開発法人が中心の公的研究機関は、二〇一五年度の二二件から、一六年度一一件、一七年度二七件、一八年度一二件、一九年度一五件（二次募集は一八件）、二〇年度四〇件となっている。研究開発法人数が二七しかないことを考えると、毎年複数の件数を出している機関があることを差し引いても、非常に高い割合で応募していることがわかる。物質・材料研究機構、宇宙航空研究開発機構、理化学研究所、海洋研究開発機構などは常連となっており、防衛装備庁の予算にすり寄り、今は寄食しているつもりだが、やがて隷属していくことになるのではないか。一般に、研究開発法人はもっぱら研究のみに明け暮れ、研究や技術開発の業績が上がるためなら軍事研究であっても気にしない、という傾向が強い。社会から切り離された研究環境になると、そのような気分に同化して社会的視野が狭くなるからだろう。

企業からの応募数は、二〇一五年度の二九件から、一六年度一〇件、一七年度五五件、一八年度四九件、一九年度三四件（二次募集は二五件）、二〇年度は七一件と、ここ数年は全応募数の六〇％以上を占めるようになっており、軍産複合体形成の様相が見えてきた感がある。最初は、三菱重工、パナソニック、新日本電気、三菱電機、日立、東芝、富士通など、日本を代表する大企業で防衛省の軍需品調達の一〇社に入っている防衛産業が多かったが、最近になって、ベンチャー企業の採択が増えているのがいっそう目立つようになった。ベンチャー企業は、特殊な分野・部品の開発が得意である特徴を宣伝して、防衛装備庁プロジェクトに食い込むことを狙っているようである。そして、大学発のベンチャーとして出身大学の研究者とのつながりを持っており、また製品の納入先としての企業との関係も強いので、今後ベンチャーが軍産学複合体の要の役目を果たすのではないかと考えている。

防衛省が力を入れている分野は、ＳＳＡ（宇宙空間探査）と呼ばれる宇宙からの情報収集、ＭＤＡ（海洋領域探査）と呼ぶ海洋を監視しての情報収集、サイバーセキュリティのための諸種の手法の開発、ＡＩを活用する画像処理やソフトウェアの開発、超高温・超高圧条件下で稼働するエンジン開発、給電・蓄電・発電システムの開発、微少化学物質（毒ガス）の検知やその分解素材の開発などで、長期・短期を含めた開発目標から採択課題を選択しているようである。募集テーマに「基礎研究」と銘打っていることもあって、すぐに攻撃用・防御用の兵器に応用するようなテーマではないように装っているが、将来どんな兵器に応用するかが想像できることは確かである。

防衛装備庁は、公開・秘密保護・ＰＯの対応など研究者が抱くであろう問題について柔らかく対応して制度が定着するよう必死である。特に大学の研究者にとって、文科省からの研究費がどんどん先細りする状況のなかで、「貧すれば鈍す」にならずがんばって欲しいと思う。

産学共同を通じての「迂回の軍事研究」

いまや大学では「産官学連携」が合言葉のようになり、大学教員の企業役員の兼務、ベンチャーの起業、企業から大学や教員への寄付、産学共同企業に対する研究費の税金控除など、さまざまな施策が進められ、産学共同は大学として当然成すべきことになっている。そのような状況の中で用心すべきことが二つある。

一つは、「産学共同」と同じ感覚のまま、共同研究の相手が企業から防衛省に替わっただけの安易な気分で軍学共同を受け入れてしまう気分となっていくことである。今のところは軍事装備品の開発につながることへの警戒心があり、大学からの推進制度への応募が減少しているのだが、そのような警戒心を持たない若手研究者などからの種目C型への応募が今後増加していく可能性があることに注意しなければならない。

もう一つは、産学共同という形を取りながら、そこに軍事研究が紛れ込んでくる可能性である。防衛省から企業に資金が提供され、企業から大学・公共研究機関に産学共同という形で資金が流れ、結果的に「軍産学複合体」が形成されていくことだ。S型のような大規模研究を企業が代表研究機関となって請け負い、大学や公的研究機関を分担研究機関として共同研究を行う体制を組む。そうすることで、企業は特許を自社のものとできるし、大学はたとえ軍事開発の片棒を担いでも、「これは産学共同だから」と社会に対して言い訳できる。これが「迂回の軍事研究」である。そのような方法を採れば、大学における外部資金受け入れの審査委員会において、軍学共同に対して厳しい規範を決めていても、チェックすることは不可能になる。産学共同のテーマや研究内容は何とでも書けるから、軍事研究の匂いを消すことは簡単であるからだ。また、産学共同によって外部資金を獲得することを大学として奨励しているのだから、あえて厳しく審査することも想定していない。その上数多くの申請があるのだから、いちいち研究内容に立ち入る余裕もない。通常は共同研究の中身は問題にせず、資金の提供先が信頼できる企業や団体であるかのチェックなど形式的な審査を行うのみである。そしていったん認めてしまうと、もはや研究の中身は点検されず、期限が来ると形式的な報告書の受理で終わってしまう。こうして、産学共同に名を借りた「迂回の軍事研究」はいくらでも行えることになる。

これを少しでも減らす方策として、審査委員会が産学共同の申請すべてについて公聴会を開き、研究内容や企業の狙いを聞いて判断するようにすれば、軍事研究につながるケースは排除できるかもしれない。しかし、実質的にそんな審査委員会を持つことは不可能である。研究内容は何とでも言い繕えるし、企業や研究者も軍事目的であることを明言するはずがなく、それだけの手間をかけても実が上がるわけではないからだ。それ以前に審査委員の負担が大変で、誰も引き受けないだろう。つまり、入り口のところで「迂回の軍学共同」であるかどうかを審査するのは事実上不可能と考えざるを得ない。

そこで、産学共同を健全に進めることを目的として、審査委員会が以下のような手順を採ることを提案したい。

①まず、各大学で審査委員会への産学共同の申請書を統一した書式とし、そこには研究資金提供先・研究目的・研究方法・成果の公開条件を明記し、その共同研究が「軍事研究とは関係しない」と誓約することを要件とするのである。産学共同が公明正大であることを示す第一歩は、統一した書式の申請書を作成することであるのは論を俟たないだろう。その申請書をもとに、審査委員会は、企業の背景に軍事機関がいないこと、研究目的が直接・間接を問わず装備品開発などの軍事利用ではないこと、成果の公開条件が一般に許容できるものであること、などをチェックする。そこで資金源や研究目的に疑義が生じた場合には、審査委員会として説明会を開催して研究者を呼び、疑惑や問題点を解消するように努める。「軍事研究に関係しない」旨の誓約書の提出を求めることが、軍事研究に踏み込むことを躊躇させる倫理的・精神的な圧力になるのではないか。

②企業との共同研究開始後、予定研究期間の中間期となる二から三年後に中間報告書を審査委員会に提出する義務を課す。そこには、資金源・研究目的・研究内容に変化はないか、公開条件が実行されるかどうかの見込みを記載する。これは、最初に結んだ契約が変化なく履行されているかどうか、変化があればどの点で変わったのかというチェックを行うためである。

③共同研究終了の段階で成果報告書の提出を義務付け、やはり資金源・研究目的・研究内容・公開条件について申請書のそれらと比較できるような書式とする。そして、（1）申請書と報告書に明らかな齟齬がある場合、（2）受託金額が非常に大きい案件や研究期間が非常に長期

の案件、（3）共同研究者の参加者に学生・院生・留学生が含まれる場合、（4）軍事研究の関わりの疑惑が指摘される場合、については口頭の報告会を開催する。

このプロセスは産学共同が健全に進められていることを確認するとともに、産学共同の名を借りて軍事研究を行っていないかを点検する機会とするためである。その結果、具体的に「迂回の軍事研究」の疑惑が生じた場合には、

④別個に研究倫理委員会を設置して再審査を行い、軍事研究に関連すると認めると研究費の返上、今後数年間の産学共同への参画禁止、裁定結果の学内公示を行う。

以上の続きは産学共同の「出口」において軍事研究が紛れ込むことに対し厳しく対処しようという考え方である。

むろん、以上のプロセスは万全ではなく、異なった「迂回の軍事研究」が成されるケースも今後、出てくる可能性はあるだろう。しかし、それらを完全に防止するのは不可能であり、また完全を期そうとして大学に相互監視的な雰囲気を持ち込むことは危険である。あくまで、軍事研究に携わるべきではないということは倫理規範であり、それを守ることで互いにスムースな人間関係を維持することが目的なのである。そのことを前提において、その実態を申請すべてについて把握しておくのは必要ではないかと考えている。

第9章 「大学改革」と日本の将来

前章でも述べたように、大学は、日本だけでなく世界中で国家や資本からの強い「改革」の圧力を受け、経済論理に沿った経営を行うことが求められている。グローバル資本主義のせめぎ合いの中で、各国は生き残りをかけて高等教育機関に効率的な人材の開発とイノベーションの種を求めて延命を図ろうとしているのである。その意味では「大学改革」は特殊日本的な現象ではなく、爛熟（らんじゅく）から腐敗へと進みつつある国際的な資本主義の再編成戦略の一形態と言えるかもしれない。とはいえ、その進め方や進み方は歴史的経緯や大学を取り巻く環境条件の違いもあって、国ごとの差異があることも明らかである。

その中での日本の特徴は、この二十数年の間、国立大学を自らの統括下に置いておきたい文部科学省（かつての文部省を含む）が、財界からの要求・圧力を勘案しつつ、制度的・財政的・経営管理的「改革」を各大学に強要し、それなりに成功してきたことではないだろうか。現実に、

大学からの際立った反乱がないことを見れば、「それなりに」成功していると言わざるを得ないのだ。この間を区分するとすれば、

《第Ⅰ期》産学官共同路線を大学に浸透させつつ、大学設置基準の大綱化と大学院重点化を進めた一九九〇年代

《第Ⅱ期》「法人化」を推進し「選択と集中」政策などの財政措置によって国立大学を植民地化した二〇〇〇年代

《第Ⅲ期》第三期中期目標・中期計画の期間において本格的な国立大学の組織改編を目論む二〇一六年以降

とほぼ一五年のサイクルとして分けられるだろう。

《第Ⅰ期》は、産学官共同・教養部廃止・大学院重点化などの施策という、小さな財政出動で大学の不満を解消させる方策を採用しつつ、大学を産業界が求める手っ取り早く人材を養成する機関とすることを目的としていた。これは見事に成功し、今や産学官連携は当たり前となり、大学は専門学校化して資格取得や就活に励むようになっている。つまり大学は、学生たちにとっては豊かな知的環境の下で生きる力を身に付ける場ではなく、就職のための一ステップでしかなくなりつつあるのである。

《第Ⅱ期》の国立大学の法人化は大学の自由度が増すという前評判であったが、現実においてはそうではなかった。教育公務員特例法が適用されなくなり、教授会自治が否定されて学長に権限が集中した。経営協議会とか学長選出会議とかの学外の人間が大学の管理運営に口を挟むようになり、一括配分の予算である一般運営費交付金は年々削減されて経常的研究経費は雀の涙となってしまった。他方で、削減によって取り上げた予算は大学の「改革」状況に応じて大学間の競争に配分される資金となり、いっそう「改革」競争を煽ることになった。つまり、文科省が大学を意のままに支配する自由度が増したのみであったのだ。さらに二〇一四年六月の「学校教育法及び国立大学法人法の一部を改正する法律」によって、私立大学まで教授会自治を解体して学長への権限集中を行い、国立大学ともどもトップダウン運営が押しつけられた。文科省は、今や思い通りに国立大学をコントロールできるだけでなく、私学補助の恣意的活用と組み合わせて私立大学に対しても睨みを利かせられる体制を整えたと言える。

そして、二〇一五年度から開始される国立大学の第三期中期目標・中期計画を策定する段階に向けて、二〇一四年度には各大学の「ミッションの再定義」を行って各大学学部の人材養成の目標を自発的に設定することを求め（実際には文科省から目標を誘導し）、ミッションに応じた教育課程や教員組織の再編成のためとして文系・社会系・教員養成系の組織を縮小し、社会的要請の高い分野へ転換する「中期目標」を策定することを促した。そのような「中期目標」を掲げなければ文科大臣の認可が下りないから「中期計画」に進めないことになる。このようにして大学自身が自主的にリストラを進めるという体裁を取っているのだ。大学は文科省の意に添わなければ一般運営費交付金の重点配分（つまり、多くの大学にとってはいっそうの削減）が押し付けられるのではないかと怯えている。この《第Ⅲ期》の過程において国立大学の再編成が行われ、①世界と伍する研究大学、②特殊分野の教育研究拠点大学、③地域密着型大学、の三つに種別化されてしまうことになった。

このように考えるのは、現在の国立大学は分断されて文科省に対して一致した抵抗路線を採ることができず、結果的に文科省の思惑通りに「改革」が進んでいるからだ。各教員は競争的資金獲得のための書類書きや予算削減による人員不足のためにますます多忙になっているのだが、文句も言わずに耐えて日々義務を果たすことでお茶を濁している。大学運営が学長のトップダウン方式となり、経営や学長選出は学外の人間に権限移譲されることで教員は大学や学生に対する愛着を失い、競争的資金を獲得して研究を継続することのみが目標となっている状態である。自分に火の粉が降ってこない限りでは黙って大学当局の意向に従うというわけだ。その結果として、産業界の要請に応じて産学共同に励む分野や地域に役に立つ分野しか生き残れなくなり、大学間の格差はもとより、同じ大学にあっても教員間の格差も増大することになるのが必須ではないだろうか。

と、暗い予想をしてしまうのだが、単純にそうはいかないのではないかという気もしている。というのは、これまでの「大学改革」の進行によって矛盾がどんどん蓄積しており、もはやそれらを無視して通り過ぎることが困難になっているからだ。

その一つは、「教養部の廃止」によって、かえって大学の教養教育の重要さが認識されたことである。教養を身に付けても何の役にも立たないように見えるが、「人はパンのみにて生きるにあらず」で、幅広い視野や洞察力などは教養抜きでは養えないことがわかってきた。そのため教養部の復活を求める声は広がっており、今後教養教育がより強く大学に求められるようになるのは確実である。

ところが、政府は国立大学に対して、教養教育に大きな責任を持つ文系・社会系・教員養成系分野の縮小ないしは廃止を押しつけようとしている。もしこれが進められるなら、縮小・廃止される分野の教員は当然私立大学に移籍するようになるだろう（現在でも、その動きがある）。そうすると国立大学ではますます教養科目の教員が手薄になり、結局教養に欠けた理工系の卒業者ばかりを輩出することになる。そのような単細胞の卒業生は企業社会においても上司に追従するのみで、日本企業の存在感は薄れる一方になるだろう。やがて、そのことに危機感を抱くようになり、国の役に立つ科学・技術の育成のためにも教養教育を幅広く抱え込まざるを得なくなるのではないだろうか。

二つ目は、法人化以後、理工系分野で一流雑誌に掲載される論文数や引用数が顕著に低下しており、世界における日本の研究力の存在感が薄れていることである。その理由として、一般運営費交付金の削減に起因する多忙化や競争的資金を獲得するために研究時間が激減していること、厳しい競争原理のため論文数を形ばかり増やすため安直な論文でも出すようになっているためと考えられる。いずれも国立大学が法人化されて以後、どの教員も悲鳴を上げている問題で、じっくり落ち着いて、時間をたっぷり使った研究スタイルを失いつつあるのだ。研究業績は金で買えないから、競争的資金をいくら増やしても成果が上がるものではない。どれだけ集中した研究時間が確保できるかが鍵であり、それは現在の「選択と集中」政策とは真逆なのである。日本の研究力の基層が破壊されてしまう前にこの政策を改めなければ、結果的には産業界にも重大な悪影響を与えることになるに違いない。

三つ目は、大学院博士課程への進学率が減少して定員割れが常態化するようになり、さらにポスドク問題（博士号をとっても安定した定職に就けない若手研究者の処遇の問題）もあって、大学や研究開発法人において後継者不足が囁かれるようになっていることだ。法人化で研究者のポストは流動化したが、それは研究の効率化を図るために使い捨てできる任期付きのポストばかりを増やしたためであり、若手研究者にしわ寄せされた。その結果が高学歴ワーキングプアの増大であり、そのような先輩の状況を見て博士課程に進学する学生が大きく減少するようになった。この問題は学問の継承性とも関わっており、必ずや早急に対策の手を打たねばならないことは明らかである。

日本の将来

以上おしなべて言えば、今のままの「大学改革」が進んでいくと、教養に欠けた科学者ばかりが生み出され、研究成果のランクはどんどん落ち、科学の後継者が払底してしまうだろう。このような現在の路線の根源は、「科学技術基本計画」で象徴される現在の科学・技術政策にあることは確かである。この政策の根底をなす「選択と集中」において、目先の応用分野しか選択せず、長期的な視野で科学・技術の基礎を築き上げるという発想に欠けているからだ。それが大学にも及んでいると言える。

そのことをしっかり認識すれば、まだ海のものとも山のものともわからないが、長い目で見てこそ価値がある課題を探し出してじっくり育てる習慣を回復しなければならない。大学とか研究開発法人という名がつく研究機関は、そのような地道で基礎力を培うような研究に専念できる場へと立ち戻るべきなのだ。

現在のようなやり方の失敗に気づき、経済論理や過度な競争原理から独立した大学にすべきであると、いずれ気づくとは思ってはいる。問題は、そのように気づいたとき、なお日本に経済力があって路線を変更する余力があるかどうかである。それが手遅れで、もはや回復不可能であり、莫大な借金で日本が沈没してしまう可能性も否定できない。つまり、今問題にしている「大学改革」は大学のみに留まらず、日本の将来とも深く関わっており、このまま放置することになれば大きな禍根を残すことになることは確実なのである。

ダイアローグ

科学者の立場から、もう一度「学問の自由」について考える

本章では、これまでのまとめとしながら科学者の立場から、今一度「学問の自由」とは何かについてお話ししておこうと思います。

私は、気になるとついいろいろなことに口を出したがる人間なのですが、この数年は軍学共同、つまり科学者の軍事研究についていろいろ議論をし、運動し、本を書いたりしております。最近書いた本は『科学者は、なぜ軍事研究に手を染めてはいけないか』（みすず書房、二〇一九年）という本です。この本でははっきりと、軍事研究に手を染めるな、なぜ手を染めてはいけないかということを縷々のべました。非常に直截的にのべたことが、かえって評価いただきまして、毎日新聞の出版文化賞というのをいただくことになりました。

この本がそんな賞に値するかなと思っていたのです。というのは、そんなに売れる本じゃあり

ませんから。しかし選評の中で、「これだけは譲ることができないという使命感に満ちて書かれた本である」とありまして、よく読み取ってくださったと思いました。私自身まさにこれだけは譲ることはできないという切迫した気持ちで書いたという思いを持っていますから。

本章でも、その軍事研究のことをお話しすることになるのですが、戦前の大学の軍事研究等に関してはあまり勉強したことがなかったので、素人談議になる危険性がありました。そこで、このテーマをいただいてから、いろいろ勉強したり調べたりして、ある程度輪郭はつかめました。

安倍内閣での軍学共同の急速な進展

私が軍事研究の問題あるいは軍学共同の問題でいろいろやっているということを言いましたが、その理由は二〇一五年度に日本で公式にというか、おおっぴらに軍学共同が推進されることになったためです。

（前章で述べたように）防衛装備庁が始めた「安全保障技術研究推進制度」という、防衛装備庁がテーマを出して、それに研究者が応募する、そして採択したテーマには多額の研究費を支給する委託研究制度が発足したのです。むろん、その募集は軍事転用をめざしたものです。

この制度が始まったきっかけは、そもそも安倍内閣が二〇一三年一二月の閣議決定で、こういう言い方をしたことです。「大学や研究機関との連携の充実により、防衛にも応用可能な民生技術（デュアルユース技術）の積極的な活用に努める」と。通常の民生技術を軍事技術に使う、いかなる技術も両面に使えるのですが、ここにおいては民生技術を安全保障のために活用するということをはっきり打ち出したわけです。それに応じてこの防衛装備庁の制度ができたということであります。

もう一つ、その二〇一三年一二月の閣議決定で決めた重要なことは、「武器輸出三原則」の見直しでした。それを「防衛装備移転三原則」という訳のわからない名前にしたわけです。訳のわからないというのは防衛装備移転という文言です。いかにも口当たりのいい言い方をして、軍事技術、軍事装備品を輸出したり輸入したりすること＝移転を可能にしようというわけです。つまり軍需品を輸出入するということ、それを自由にやらせようという大きな変更で、この二つが打ち出されたのです。軍学共同の問題は、大学あるいは研究機関等の研究者への軍事研究への誘いであり、もう一方の軍需品の輸出入は基本的には企業です。企業が外国との間で武器の共同研究、共同生産、そして輸出入をおこなうという、その二つの方向が固まった。そういう方向で進むことが安倍内閣の下で本格的に進められるようになったわけです。

例えば二〇一九年の国際的武器見本市は、幕張と都内で二度も開催されました。武器見本市として最大の催しはロンドンでおこなわれているもののようですが、日本はその次に位置するぐらい本格的な国際武器見本市で、アジアをターゲットにしているのです。武器を展示して、とりあえずは宣伝する。そしてそれに乗ってくる国からのオファーを受けて売り込んでいくというわけです。その中に例えば独立行政法人の宇宙航空研究開発機構、ＪＡＸＡとわれわれはふつう呼んでいるのですが、そこが堂々と展示しているのです。

「はやぶさ2」でリュウグウへ行って戻ってくる、それでみなさんは拍手するわけですね。「はやぶさ」が戻ってきたとき、オーストラリアの上空で、カプセルだけを放出して燃え尽きた。物語になりそうな最後の姿です、演出したわけじゃないのだろうけれども。そういうふうにして私たちは、ＪＡＸＡは科学の研究を主にやっているものだと思い込んでいるのですが、実はＪＡＸＡは半面では安全保障のために、使用予算の規模から言うと安全保障関連のために五割以上が別予算から費やされているという状況になりつつあるのです。

私に言わせると、ＪＡＸＡは宇宙科学研究所を使って見せかけの平和研究で宣伝し、実際の飛翔体関係の部門ではもっぱら防衛及び安全保障研究を行うようになりつつあります。というようなことも含めて、まさに軍学共同と宇宙開発技術の問題がカップルするようになってきたということであります。

私は大学についての軍学共同の問題点を強調しています。この「安全保障技術研究推進制度」に大学が応募することの問題です。当然、応募する研究者が書類を作るのですが、最終的には、大学の学長からの応募という形を採っていますから、学長の承認がいるわけです。それがないと申請できない。だからこの制度は大学ぐるみを軍事研究に誘い込んでいく、そういうことが前提であるということを押さえておく必要があると思います。

科学者の許容論

A	都合のいい口実：デュアルアースである	民生・軍事の区別がつかない
B	錦の御旗：学問の自由がある	憲法23条に書かれている！
C	本音：研究者版「経済的徴兵制」	研究を続けるために止むを得ない
D	居直り：防衛のための装備品である	直接的な武器開発ではない
E	科学・技術至上主義：科学・技術が発展する	誰のため何のため？
F	言い訳：倫理は法ではない	自主的な規律規範をどう考えるか？
G	ちょっとだけ：危険になったらやめる	麻薬と同じで抜けられなくなる

科学者の許容論

そういう状況の中で、これは戦前もそうなのですが、科学者というのは、多少いい加減なところがありまして、さらに研究費の話となると、グダグダになる人が多いわけです。軍事研究してもいいのではないかという科学者の許容論にはいくつもタイプがあって、ABCDEFGと分けましたが、はじめはABCぐらいだったのだけれども、だんだん数が増えて、今ではDからGまで増えてきました。言い訳がどんどん広がっていくわけです。

一番都合のいい口実はA「デュアルユースである」。いかなる技術も軍事利用にも民生利用にも使えます。開発段階ではどちらか決められない。だからやってもいいじゃないかというわけです。別に自分は軍事研究のためにやってるんじゃないよ、民生技術のためにやってるんだよ、しかし軍事転用があっても自分の知ったことではない、というふうにして自分の責任を逃れるのです。この最適の例は、普通のナイフが、リンゴの皮をむくこともできるけれども、人も殺せることです。両面使えるわけです。ナイフを作っている人間に、人を殺せるからといってその製作を禁止できないわけですね。そういうことを口実に使う。

あるいは錦の御旗として、B「学問の自由がある」ではないかとも言います。憲法二三条に、「学問の自由は、これを保障する」と書いてあります。日本国憲法の一番短い条文です。それがあるではないかと言うわけです。だから、例えば日本学術会議等がこれへの応募は慎重にしなさい、大学として議論する場をつくりなさいと言っているのに対し、大学として応募を控えようと決めるのは「個人の学問の自由を阻害する」と言うわけです。

さらに、C研究者版「経済的徴兵制」といっているのですが、研究を続けるためには、たとえ軍事研究であっても構わない、との本音もあります。「経済的徴兵制」というのは、研究費のために軍事的なことに協力していくという意味です。アメリカの貧しい子どもたちがまさに「経済的徴兵制」で軍務につくということがよく言われるでしょう。それと同じことです。

それからD「居直り」もあります。防衛のための装備品である、日本は自衛しなければならない、だから「自衛のための研究は軍事研究の範疇には入らない」というわけです。

それからE「科学技術至上主義」。これが最近若者の間で非常に強くなっているのですが、「科学や技術が発展するからいいではないか」という主張です。軍からたくさんの金が出て研究がやれる、これで科学や技術が発達する、それでいいではないかというのですね。

もう一つの言い訳はF「倫理は法ではない」というものがあります。軍事研究に倫理的に反対する、倫理として軍事研究をやってはいけないと言うが、倫理は法律ではないのだから別に縛られることはないと言うわけです。倫理と法というものの関係をどう考えるかということですね。「セクハラは法律に書いてない」といった大臣がいたぐらいで、法で罰せられなければ何をしてもいいのか、倫理的な規範は守らなくていいのかという問題に帰着します。倫理であるからこそ、いっそう私たちの心を制限するものだという考え方も当然あるわけです。

それから、G「ちょっとお金をもらうだけ」で、危なくなったらやめるからいいのだ、との言い訳もあります。これは麻薬と同じで、はじめちょっとだけのつもりが、やがてやめられなくなってしまうということになるのは明らかです。

これぐらいたくさん科学者の許容論があります。しかしほとんどの科学者は、学術機関からの研究費で研究を続けたいと願っているのは確かです。彼らがこれだけ言い訳をするということ自身、それなりの後ろめたさがあるからなのです。だからその人たちがこういう軍事研究にはまらずにやっていけるだけの、しっかりした学術研究体制を私たちは常に要求していかなければならないと思っています。

「学問の自由」は、第二次世界大戦後に獲得された概念である

さて、学問の自由のことに関して言いますと、これは日本では第二次世界大戦後に獲得された概念です。要するに戦前は「大学の自治」あるいは「学問の自由」という概念はそもそもなかったわけで、国家が学問に介入することが当たり前でした。権力者が、学者に文句を言う、こうい

う方向に進めと命じる、国家が学問研究に介入するのが当然であったわけです。戦前にどのくらい言語思想の弾圧の事件があったかということを並べてみますと、国家の介入によっていかに学問がゆがめられ、自由な研究ができずにやめていった人が多かったかということがよくわかります。

学問研究の自由を保障することには前提があるわけです。日本国憲法二三条に「学問の自由は、これを保障する」とあるわけですが、その前の憲法一二条に、「この憲法が国民に保障する自由及び権利は、国民の不断の努力によって、これを保持しなければならない。又、国民は、これを濫用してはならないのであって、常に公共の福祉のためにこれを利用する責任を負う」と書いてあるわけです。自由や権利が成立する前提について念を押しているわけです。その後の条、例えば言論・出版の自由とか居住の自由とか信教の自由とか移動の自由とか、ずらずらっと憲法が保障する国民の自由と権利がのべられていますが、これらみんな、国民の不断の努力と節度と責任の下で成り立つものである、それをスキップしたり怠けたりすると、この自由は成り立たないのですよ、というわけです。このことを私たちはきちっと押さえておく必要があります。

例えば人体実験をしてはならず、ヘイトスピーチを言い立てる自由はありません。いかに研究や言論の自由があっても許されることではないのですね。それはまさしく私たちに課せられた節度と責任であり、濫用してはならないわけです。というふうに、憲法のこの条項は私たち自身に対する心構えを求めているものと解釈することができると思います。

憲法は、立憲主義の立場では権力者の手を縛るためと言われているのですが、同時にこういうふうに国民に不断の努力と節度と責任を求める条項もあるということを知っておく必要があるのではないかと思うのです。とくにこの軍事研究の問題は、学問の自由の狭い捉え方で簡単に許容できるものではないということであります。

日本の戦前の大学政策の特徴

これからいよいよ戦前・戦後の大学と軍事研究という問題に入ります。わざわざ特徴と言うほどのこともないのですが、一、二、三、四と四項目あげました。

最初は、「一．大学の目的は国家優先・国権主義だった」ことです。教育機関、あるいは大学は、国家に隷属するのは当然とされました。国権主義が当たり前であったわけです。だからあえてそれに逆らうというか、国家が求めることをしない、あるいは国家のいうことに抵抗する、拒否する人たちが弾圧されたという歴史が数多くあります。

二番目の特徴として、「二．軍産官学複合体の形成」といっておきます。アメリカで軍産複合体とよく言われるでしょう。最近は軍産学複合体といわれるようになりました。ところが日本では軍産官学複合体というのが、実は戦前の時代から堂々とあったということです。アメリカで軍産複合体ができるずっと以前から、日本では軍産官学複合体というのが、主に一九二〇年代ぐらいからだと思うのですが、形成されているということであります。それも、大学教授が中心になってそれが形成されたケースが非常に多いということです。

三番目は、「(三)軍事への科学者及び技術者の動員」の問題です。「科学技術」という言葉が、ちゃんとした用語として使われるようになったのは、実は一九三八年からです。これは私がある人から教えてもらって、それでいろいろ調べてみたら確かにそうであることがわかりました。

それ以前は科学と技術は分けて考えられていて、特に日本では技術が中心であったわけです。科学は「純正科学」と言われ、暇なやつ・物好きがやるものだとされていました。国家にとって必要なのは技術であるという立場であったわけです。それがずっと続いていたのですが、一九三八年になってやっと「科学技術」という言葉を使うようになりました。主にテクノクラートたちからの要請で、技術者たちがそれを強く主張するようになったのです。その由来は、科学に裏打ちされた技術でなければならないということが技術者に強く迫られるようになったためです。戦争がどんどん激しくなってくる状況の中で、技術は単にいままでの技能の応用だけではだめである、特に新兵器の開発なんていうのは科学が前面に出ないとだめである、科学に裏打ちされた新技術でなければならない、という主張です。同時に、科学は純正科学にとどまっていてはだめだ、応用ということを常に考える科学でなければならない、という意味で「科学技術」を意識的に強調するようになったわけです。

普通、明治の初めから「科学技術」という言葉をずっと使っているとしているけれども、これはちょっとまずいと思います。「科学技術」という言葉が本当に使われるようになったのは一九三八年ごろからなのですから。むろん戦後はずっと「科学技術」という呼称が一貫して使われていますから、私たちにはほとんど区別がつかないわけですが、「科学技術」という言葉が、今言ったような意味で使われるようになったという経緯があるということです。戦争目的のためには「科学技術」の両面の動員が必要であるということが強調されるようになったことを記憶しておく必要があります。

四番目は全体に共通していることですけれども、「四．研究費の供出」というのは御下賜金というのですが、皇室あるいは天皇がお金を下さるという形を採っていることが多くあります。ありがたく押し戴くという格好です。大学の新設も同じだし、研究費のシステムである学術振興会か帝国学士院の最初の資金提出もそうですね。要するに皇室からのお金から出発するわけです。だからありがたいのだよ、お前たちは無駄に使っちゃいかんよ、国家のために使うのだよと、学術資金の供給もまさに天皇主義に染まらざるを得ないように仕組まれているわけです。

それ以外に大学が戦争の賠償金や財閥等の寄付でつくられたということですね。京都帝国大学は、日清戦争の賠償金でつくられたものです。財閥等の寄付の典型として北海道大学に古河講堂があるのは、足尾銅山で鉱害をひき起こした古河財閥から東北帝国大学時代に寄付されたものです。大阪帝国大学・九州帝国大学・名古屋帝国大学の創立も、みんな企業からの大口の寄付金が原資になっています。というふうに、大学設立あるいは研究資金等は、ある種のヒモをつけて、そのヒモをつけた人間がどういうことを望んでいるかということをちゃんと忖度して使えということであります。むろん、その後は国が金を出します。出すのだけれども、もともとこの金で出発したのだからねということが常に言われるわけです。

国家優先・国権主義の大学

まず、一の国家優先・国権主義の大学の大学ということでありますが、一番はじめに大学ができたのは一八七七年の東京大学ですね。一八八六年の帝国大学令で、東京大学から帝国大学になりました。このときの帝国大学は一大学だけですから、東京という冠詞は付いていません。森有礼文部大臣が最初に大学令をつくったわけですが、森有礼は伊藤博文と強いつながりがあった人物です。

続いて、一八八九年に大日本帝国憲法が発布されるわけです。これはまさしく伊藤博文が中心になってつくったものです。それから一八九三年に帝国大学改正令があります。このときの中心人物は井上毅文部大臣で彼は教育勅語をつくったり、帝国憲法の草案を書いたり、軍人勅諭を起草した人間です。だから、この伊藤、森、井上の三人が国権主義の大学づくりの中心になったといっていいと思います。

そして、これはよく知られているように、大学令には「帝国大学は国家の須要に応じる学術・技芸を教授し及びその蘊奥(うんおう)を供給するをもって目的とす」と書かれており、まさに国家の須要、つまり国家に必要で重要な人間を養うところだというわけです。

ここで押さえておくべきことは、「学術・技芸を教授し及びその蘊奥を供給する」とあるのは、教育・研究両面において「国家の須要に応じる」ということが求められたということです。研究も、国家の必要に応じておこなうものであるということが強調されたわけです。この文章の読み方は途中で切れそうな感じがするのだけれども、やはり「国家の須要に応じる」のが教育であり研究の両面であるということです。

一八九七年に京都帝国大学が設置されましたが、これは既に述べたように日清戦争の賠償金によってつくられたものです。そのためもあって、京都帝大は実用大学という意味合いが非常に強かったと言われています。要するに京都帝国大学は、理工系大学という役に立つ大学としてまず出発したのです。だからこの当時の大学は、国家主義、国権を優先し、同時に理工、つまり実用的な分野を強化するということが主要な目的であったわけです。

京都帝国大学が設置されてから、東京帝国大学という呼び名になったわけですが、その後ずらずらっと帝国大学ができていきます。人材養成機能が広く求められるようになってきたわけです。東北帝国大学と九州帝国大学は、さきほどの古河財閥の寄付金でつくられたものです。それから札幌農学校はまず東北帝大の農科大学になっていたのが、北海道帝国大学が発足した一九一八年に北海道帝国大学農科大学になりました。

同じ一九一八年にふたたび帝国大学改正令が出るのですが、ここに大学の目的にもう一つ、「兼ねて人格の陶冶及び国家思想の涵養に留意すべきものとす」という文言が付け加えられました。要するに大学の目的は国家思想を養うところとなったわけで、先ほどの「国家の須要に応じる」のその「須要」に、「国家思想を養う」ということが具体的に掲げられたと言えるでしょう。

帝国学士院がつくられたのは一九一〇年です。このときに皇室御下賜金が二万円です。さらにさまざまな寄付金で帝国学士院が創設されたようですが、帝国学士院というのは、日本の研究を先導評価して、研究の動向を決めていくような役割があったわけです。戦後の学士院は、優れた業績を表彰するための名誉職的な役割しかないのですが、戦前の帝国学士院は研究に対して非常に力を持っていました。

例えば本多光太郎という人は、鉄鋼の研究で著名ですね。非常に強い磁石を持った鉄鋼を開発しました。ＫＳ鋼というのですが、なぜＫＳ鋼というのかというと、住友吉右衛門が非常にお金をたくさん寄付したからということで、住友吉右衛門のイニシャルを取ったのがＫＳ鋼です。彼は非常に有名になって、東北大学の学長にもなりました。

私が好きな寺田寅彦という人ももらっているのですが、学士院恩賜賞という、学士院が高く評価して顕彰した名誉ある賞があります。寺田寅彦は結晶によるX線の回折実験で、長岡半太郎は土星型原子モデルで恩賜賞をもらっています。これらは基礎研究ですが、軍艦の設計、高速度艦船の研究、日本刀の研究などで帝国学士院賞をもらっています。というふうに帝国学士院賞というのは、基礎だけでなく軍事研究にも授与したように国家に仕える学問を奨励したのです。

大阪帝国大学ができたのが一九三一年です。このとき大阪帝国大学は、大阪にあった塩見理化学研究所という研究所からの寄付金でつくられました。ほとんど国からの歳出はゼロであったといわれています。大阪商人の心意気で帝国大学を設立したというのが誇りでした。

一九三九年に九州帝国大学の理学部ができるのですが、このときは麻生大賀吉という人からの寄付でできたのです。それから名古屋帝国大学が一九三八年に生まれました。このときは理工学部と医学部ですが、愛知県から土地及び寄付金をもらっています。いずれも戦争直前に理学部が設置されたのは新兵器の開発のための付け焼刃的対策であり、名古屋の医学部は戦争に備えての医師養成のための開学でした。

というふうにして、日本の帝国大学がこれで七つ全部そろうわけです。これら帝国大学の出自を洗うのも面白いのではないかと思われます。帝国大学は基本的には理科大学、工科大学、医科大学が中心でした。農科大学は最初札幌、やがて九州にできただけでした。主に戦争のための理工系の人材を育てるということが中心であったということがわかります。

軍産官学複合体の中心としての大学

このような戦前の大学の歴史の中で、軍産官学複合体の中心としての大学の役割がありました。例えば鉄鋼。鉄というのはあらゆる武器の材料ですから、軍が初めから力を入れるのは当たり前のことですね。「鉄は国家なり」「国の統一の達成は鉄と血のみによる」、これはビスマルクの言葉です。鉄血宰相ですね。本多光太郎とか三島徳七という人たちの鉄鋼研究は国策としての研究でした。彼らが軍産官学複合体の中心となっていったのは当然ですね。

光学、これは望遠鏡とか双眼鏡とか潜望鏡とか暗視カメラの開発です。戦争用具には絶対の必需品ですね。一九一七年に日本光学が海軍の要請でできました。軍と産業が結びとき、そこに研究者が加わっていく形です。

それから航空、飛行機です。飛行機を発明したのが一九〇三年のライト兄弟ですが、たった三年後の一九〇六年には既に軍が軍事用の飛行機に改良していて、日本でも軍がまず飛行機を利用するわけです。それが事故を度々起こしており、寺田寅彦も飛行船の事故解析を行ったこともあります。飛行機というのは潜水艦と並んで、平面上の戦争を飛行機は空の上からの攻撃、潜水艦は海の下からの攻撃というふうに、三次元的に戦場を広げたわけですが、その中で、航空機開発は主には東京帝大の航空研究所が中心になっていました。

はっきりと軍産官学複合体と言えるのは、海軍のための船舶、軍艦、潜水艦の製作ですね。東大に第二工学部ができたのはこの開発研究のためもありました（現在の生産技術研究所）。その第二工学部に海軍がぴったりとくっつき、三菱長崎造船所に東大の学生を全部就職させるわけです。平賀譲という東大の総長を務めた人ですが、彼は同時に海軍の造船中将でした。まさしく軍産官学連携ということを象徴しているような人物であります。学が中心になって軍産官学複合体を形成するという方式は、日本において非常に推奨され、世界に先駆けて進められてきたのは確かです。

あと、ソーダとか染料とか化学関係があり、著名な化学者が軍産官学複合体のキーパーソンとなって活躍しました。というふうに、さまざまな分野で軍産官学複合体がつくられました。

ところで、自動車は軍事にとっても重要な分野と考えられます。戦車とか軍事用のジープとかのニーズがあるからです。もっと早く軍産学官複合体で開発されたのかと思っていたのですが、ようやく一九三八年になって、自動車特別法という法律ができて国産するようになったそうです。それまではゼネラルモータースとかフォードからの輸入に頼っていたのです。やっと一九三八年になって日本のトヨタとか日産とか三菱自動車が活躍するようになったわけで、弱体の陣容であったことが窺えます。なぜ、そうであったのでしょうか。

軍事への科学者・技術者の動員

三つ目が、軍事への科学者・技術者の動員という問題です。いままでは主に大学あるいは学問の分野・領域として議論してきたわけですが、ここでは職種として科学者・技術者を大動員した経緯を述べます。これも軍産官学複合体の基本形であるのですが、先ほど言いましたように、まず技術の輸入、技術の確立ということが日本の産業革命・工業生産の目標でした。国の工業化、国の産業化を強化するという意味で、技術がずっと優先されてきたわけです。一九一八年ごろに工政会という、これは民間団体なのですが、官の技術者が主導権を持ったテクノクラートの集団が発足します。この段階で日本において技術者集団が確立したと言えるでしょう。この時代に技術者の人数、専門職としての技術者が揃ってきたのです。

この工政会に入っていたメンバーが、工学系の教授、陸海軍・官公庁・企業の有力者で、いずれもテクノクラート（技術管理者）です。軍産官学複合体の母体になるような集団です。同時に農政会とか林政会とかの他分野でも同じような集まりがつくられてきたわけですが、このような軍産官学を成り立たせる技術者集団がこの段階で成立しました。

日本の産業革命が終わったのがいつごろかという議論があるのですが、だいたい一九一八年ごろ、大まかに一九一五年から一九二〇年ごろの間とされています。実際、技術者集団が組織化されたことを見れば、その間ぐらいに日本の産業革命が一応終わった、技術が自立し、産業の基本構造ができあがったと言うべきだろうと思います。

このときから活躍したのが内務省土木技師だった宮本武之輔です。彼は技術の社会性ということを非常に強調しました。技術者として、技術の社会的な意味（単に技術者は自分が担当する一つの技術に専念するだけではなしに、広く技術がもつ社会的な意味）を意識すべきと主張した革新技術官僚でした。むろん、技術者集団の社会的地位を向上させるという目的もありました。それまで文官のほうがずっと格が上だったのを、技官も同じレベルに引き上げたいということが背景にあったわけです。そのため、技術の社会的な意味や役割の重要性を強調するようになったのです。

他方で、一九二〇年に学術研究会議ができました。これは戦後の日本学術会議のもとになる学者の機関です。一九三二年に日本学術振興会が財団法人としてできたわけですが、これはご下賜金が一五〇万円で発足しました。まさに天皇が下さった研究費だよということになるわけですね。この研究費が主に狙ったのは総合研究の組織化で、バラバラであった研究者を統合するためです。研究者集団をまとめ上げて、そこにお金を投入することによって、研究者集団をコントロールするという狙いがありました。

一九三八年の教育審議会報告に面白いことが載っています。そこに「文系を減らして工学系を拡充せよ」「産学協同を推進せよ」とあることです。まさに現在国から言われていることと同じですが、これは一九三八年です。日中戦争がずっと続いて、そのままの状況では戦争に勝てないということがだんだんわかってきた段階ですね。国が焦り始めると口にする政策なのでしょうか。

研究費を増加させて、研究施設を充実させるという政策も採られます。要するに研究の重要性がわかってきたのです。そして一九三八年に興亜院の技術部が発足します。このときに科学技術新体制確立」というスローガンを宮本武之輔が主張したのですが、ここで「科学技術」という言葉が正式に使われるようになったわけです。

「技術には科学の裏付けが必要である、科学は技術的応用を念頭にすべし」というわけで、科学・技術が一体となって新体制を築くということです。というような流れの中で、科学者、技術者の動員体制が進んでいきました。だからこの状況になると、ほとんど大学の教師たちは、戦争にいかに協力するかということにかかわっていたわけです。

このため戦時下での科学技術の動員というのは、文部省、技術院、学術研究会議、それぞれが役割分担のような格好で進んでいきました。大学の軍事研究もその一翼で進んでいったのです。

文部省・大学は、教育研究機関である、あるいは人材をつくっていく機関であるとの立場を強調しました。技術院は戦時研究員制度という制度をつくり、根こそぎ動員といわれていますが、技術者を総動員することに力を尽くしました。学術研究会議は大題目で研究者を共同研究に組織化することを行いました。いろいろな題目を立てて研究者を組織し、それによって共同研究を行うという形です。一九三もの研究班ができ、なんと動員された班員が一九〇〇人以上です。湯川秀樹も研究班に入っていました。こういう格好で研究者の組織化がすすんでいったわけです。科学動員、あるいは技術者動員は、このようにさまざまなルートを使って行われました。縦の線、横の線をフルに使って行われたということです。

一九四三年になって、「戦争は今や全く科学戦の様相を呈するに至った」「軍の直接の用に学者を供せしむ」というキャッチフレーズを掲げるようになったわけです。理工系の学生たちの徴兵猶予が進むようになりました。徴兵しない、研究に専念させるということです。いかにも付け焼刃的な動員であることがわかると思います。

ところが、軍事研究と偽って軍から研究費をもらい、実際には基礎研究を行っていた大学教員が多かったことも事実です。このことは戦後になってよく言われたのですが、要するに教員たちは二枚舌を使った、ウソをついたというわけです。サボタージュしたと。

それは事実でしょうが、もう一つ異なった面があります。科学者たちはそれなりに戦争の趨勢を見ていたわけです。日本の生産力がいかにアメリカから劣っているか。これは科学者であるならば、だれが見てもわかるわけです。とすると、負ける戦争のためになぜ協力せにゃならんか、ということが出てくるわけです。というような状況もあったのではないかと想像しています。

ドイツでもそういう傾向があったわけですね。要するに軍から多大な研究費が出たにもかかわらず軍事研究としてはそんなに進展しなかった背景です。

一九五一年に科学者たちへのアンケートがとられたのですが、そのときに「過去数十年の間で学問の自由があったのはいつか」という質問にたいして、多くが、「太平洋戦争中が一番自由があった」と答えているわけです。それは研究費の多さが研究の自由と等価、同じように考えられているわけです。研究費の多いほうが研究の自由があるのだと思ったのです。私も科学者としてはわからなくもないのですけれども、そういうことを現実が物語っていますね。

具体的な軍事研究

具体的な軍事研究としては、科学者は国家の命令に従うことを当然とした結果として、軍事開発の体制に組み込まれました。その体制とは、先ほど言った帝国学士院とか日本学術振興会そして技術院、さらに科学報国会です。大阪大学から始まって東京大学とかいろいろな大学で科学報国会というのができました。さらに学術研究会議もあります。このように研究者の組織的な動員が行われ、さらに技術院が戦時研究員制度を活用しました。いろいろな格好で科学者・技術者を具体的な軍事研究に動員する体制が組まれたのです。

例えば、日本でも原爆の開発がおこなわれました。それからレーダーの開発ですね、殺人光線と言われました。少し大きい電子レンジをつくって、そこに人を閉じ込めてチンしたらどうなりますか？　人は死んじゃうでしょう。雨に濡れたネコを乾かすというので電子レンジに入れてチンしてネコが死んじゃったというのは都市伝説だと思いますが、アメリカで裁判沙汰になったという話があります。電子レンジに使われている電波を使えば、まさしく人間を殺せるわけです。ただし、密閉して電波を集中しないとだめです。空中で放った場合には死ぬわけではありません。殺人光線の研究というのは、そういう可能性も含めて電波技術の開発を行ったわけです。

それから熱帯病の研究、そして南方の資源科学で、植民地経営のための軍事研究ですね。蒙古・中国調査団は何度も派遣され、調査報告というのがたくさん出ております。私たちは、それは歴史とか地域・地理とかの研究だろうと思ってきましたが、あれも植民地化するための軍事研究の一環であったわけです。

あるいは生物兵器の開発です。七三一部隊の石井中将が中心となって、京都大学とか京都府立大学、金沢医大、名古屋医大など、いろいろな大学の教授たちが七三一部隊に関与しました。それから北海道では中谷宇吉郎の戦時研究というのが非常に有名です。彼は悪びれた様子もなく、「戦時研究をやった」ということを堂々と書いています。そのこと自身は、評価すべき態度だと思います。ほとんどの研究者は戦時中の行動を隠し、自分はどういうことをやったかを言わない。あるいは言っても全く別の目的のためにやったように言っているのですが、中谷宇吉郎は堂々と言うわけです。飛行機の翼への着氷実験とか、飛行場の霧を消す実験です。現実に彼は徴兵された若手研究者を取り返したという話がありますね。それも書いております。次世代の科学者を確保するためにという理由です。

実は日本の科学者は、戦争にたいして協力してきたことをほとんど誰もが、反省の弁とか、申し訳ないとかそういうことをはっきりと言っていないのですね。湯川さんだって言っていませんし、坂田昌一も、です。むろん、彼らは直接言わないだけであって、核兵器禁止運動とか平和運動をちゃんとやって、それなりの責任は果たしておりますしかし、やはりちゃんと言うべきではなかったか、と私は思っています。もっともハイゼンベルグみたいに堂々と居直っている人もいます。ドイツの原爆開発のことですね。ドイツはそれに成功しなかった。成功しなかったのは自分が意図的に怠けたからだというわけです。ああいう兵器はつくってはいかんから、自分が意図的に怠けて成功させなかったのだと、殊勝に言うわけです。しかし、彼が原爆開発に成功しなかった真の理由は、彼自身が計算間違いしていた結果なのです。というような話もありまして、科学者と戦争の問題というのは、いつでも、これからも議論し続ける必要があると思っています。

科学統制への抵抗と協力（日本の特殊性）

科学統制への抵抗と協力として、私が日本の特殊性と思っていることを話しておきたいと思います。特殊性と言い切っていいかどうかわからないのですが。日本の学界、あるいは大学は講座制に守られていて、教授会が非常に強い権力を持っていました。教授以外はみんな家来ですね。そういう上下関係の厳しい大学運営がなされていたということが、この日本の特殊性ということの背景にあるのです。学士院会員とか、帝大の名誉教授とか総長とか所長とか、そういう長老で有名な科学者層は、大学での研究に対する統制を最小限にして研究者の自主性を尊重すべきとの姿勢も示していました。むろん「姿勢も」であって、すべてそうであるというわけではありません。

例えば、彼らは、研究者は巧妙な方法で動員から逃れよと言っているのです。動員を拒否せよとは絶対言いませんが、動員されるのはまあしょうがないから、うまくやりなさいよというわけです。そういう、長老科学者たちの戦争協力への消極性ということに対して、若手研究者たちが逆に積極的に戦争協力をし、統制を受け入れました。それが大学の古い体制を壊し科学技術を発展させるというわけです。若手の近代化路線が戦争推進論と結びつき、学界長老の戦争忌避論と対立したわけです。こうして、学会の近代化のためには国家の統制もやむを得ないという論が強くなっていきました。そのような状況の中で、先ほどいった「科学技術新体制確立」ということが強調されてきたわけです。

科学者の多くは、長老支配を嫌って研究体制の近代化や合理化を要請して戦争に協力しつつ、他方では軍事研究の名目で得た臨時軍事費を基礎研究のために使いました。この矛盾した心情が一人ひとりの研究者の中にあったということですね。動員体制を受け入れながら、一方では基礎研究もやるという状況であったのです。

戦前と戦後の連続性と非連続性

ということで、戦前のことに時間をずいぶん使いました。戦前と戦後の連続性というのがよく言われますよね。日本の例えば経済体制なんかはほとんど戦前のままであるという言い方です。科学技術、あるいは大学関係にも連続性と非連続性というのもやはりありますね。

大学の制度、講座制、あるいは学科目制、そして教授会というシステムは、戦前・戦後を通じて一貫して変わらなかったわけです。ご存知のように、これは一九九〇年代以後になってから壊されました。講座制をやめて研究室制にし、法人化後では文科省は単に予算の計算のための根拠として研究室という単位を使っているだけで、教員組織の運営は各大学に任せてしまいました。それに合わせるかのように、二〇一四年の学校教育法の改正で教授会権限はほとんどゼロに等しい状態にまでされたわけです。というふうにむしろ現代の変動のほうが激しい側面もあります。

さらに、戦前から戦後に連続してきたシステム・制度も多くあります。むろんいったん断絶したものもあります。例えば、戦前の御下賜金制度という、天皇家あるいは皇室が寄付するという習慣は戦後なくなりました。ところが、育志賞というのができました。あれは平成天皇の時代、もう一四、五年になりますが、天皇の御下賜金で育志賞というのができました。もっともその金は初めのお金だけです、あとは全部国が出すのですけれども。他にも、戦前・戦時中に、戦争の協力のためにつくられた研究所で現在も存続しております。現在の研究題目はむろん変わっていますが、そういう連続性があります。

連続しなかったのは教育体系です。戦前はいわゆる「複線型教育」で、少数のエリートの子弟が進む中学・高等学校・大学という金がかかるコースと、多数の労働者階級の子弟が尋常小学校止まり、せいぜい中学まで進学するのがやっとで、後は働くしかないコースに分かれていたことです。明確な身分差別があったのです。戦後の民主的な教育改革によって国民の誰もが教育を受ける権利を持っていることが認められ、小学・中学の九年間の義務教育の後、望めば誰もが高等学校・大学に進むことができるという「単線型教育」制度になったのです。そのため高校や大学の授業料などの学費が安く設定されていました。むろん、大学の数が限られ、また学費を払えない家庭も多く、誰もが大学へ進学できたわけではありませんが、原則的には全ての国民に高等教育の門戸が開かれたことは、画期的な変化でした。

この教育体系の変化は、教育基本法と学校教育法の制定（いずれも一九四七年）によってなされたものですが、教育勅語の廃止が一九四八年まで遅れたことは、旧制度に固執する勢力があったことを思わせます。学校教育法で謳われる大学というのが、「深く専門の学芸を教授研究し、知的、道徳的及び応用的能力を展開させることを目的とする」とあるように、実は大学の主たる目的は教育であることを謳っています。実際の大学教員の主たる意識は研究にありますが、その研究にあたるのは大学院なのです。「大学院は、学術の理論及び応用を教授研究し、その深奥をきわめ、文化の進展に寄与することを目的とする」とあるように、研究は大学院の仕事なのですね。というわけで、大学の教師という限りは、もっと教育の面を強調する必要があると思います。

いずれにせよ、教育体系の変更と共に、大学及び大学院の目的は戦前とはがらりと変わりました。この二点が非連続性の最たるものです。

戦後、「学」は「軍」とは一線を画した

さらに大きく変化したのは、戦後、「学」は「軍」と一線を画したことです。一九四九年、日本学術会議が発足したときに、その発足総会で、「わが国の科学者がとりきった態度について反省し……今後は、科学が文化国家ないしは平和国家の基礎である……」という声明を出したわけです。このとき「科学者がとりきたった態度について反省し」と言っていますが、実は、この一言だけが戦争にたいする反省の言葉でした。日本学術会議が放った唯一の反省の言葉なのです。

ところが、この唯一の反省の言葉に対してすら会員から強い反対があったというのです。主に医学系の会員、つまり医者たちから「国家が戦争を始めた以上、国民である科学者がこれに協力するのは当然のことではないか」という強く反対したというのです。もっと厳しい反省の言葉が提案されていたようですが、どんどんどん弱められ、この文章にようやく落ち着いたようです。科学者というのはいかにも反省しない人種ですね。戦争は国家が決めたのだからしょうがな

いと言うのです。

次の一九五〇年の日本学術会議第六回総会で「戦争を目的とする科学の研究には絶対従わない決意の表明」をおこないました。しかし先ほど言いましたように、一九五一年のアンケートでは「太平洋戦争中に一番学問の自由があった」という意見が多くを占めたということを忘れてはなりません。

糸川英夫さんがロケット開発をおこなっていましたが、あの糸川さんのロケットは固体燃料でＩＣＢＭ（大陸間弾道弾）に使えます。ミサイルに使えるわけです。そのため、ミサイル開発になるのではないかということが一九五九年に国会で議論になりました。そのときに茅誠司総長が、「軍事研究はもちろん、軍事研究として疑われる恐れのあるものも一切行わないことは自主的にかつ良識のもとに堅持されるべき……」とちゃんとしたことを言っています。このときに「軍事研究と平和研究との境界の判別はつきにくい」という議論がありました。さきほどのデュアルユースと同様の議論がすでにここで出ているのです。

そして一九六六年に日本物理学会が半導体国際会議を開いたときに、米軍資金を受け入れていることが新聞に暴露されました。これは国会で問題にされ、日本学術会議で議論になり、物理学会でも論争になりました。そこで一九六七年に日本学術会議の第四九回総会で、「戦争目的のための科学研究を行わない」という声明が再度出されたわけです。

このときに、「科学の発展に寄与するのだから良いのではないか」という科学主義的な意見も強く出されました。要するに科学者の集団は一枚岩ではないのですね。常にこういう意見が出てきます。

軍事化が進む日本の科学

日本物理学会では、国際会議の基金として米軍資金を得たことから、総会を開いて「決議」をあげました。その「三」が、「今後内外を問わず、一切の軍隊からの援助、その他一切の協力関係を持たない」という決議案で、その投票をおこなって、一九二七票対七七七票、保留六三九票で決定したわけです。これを見ながら、ああまだしもこの時代は健全な時代だったのだなあと思います。おそらく現在ではこういう決議はほとんど通らなくなっているでしょうね。

事実、日本物理学会は、一九九五年に「学会が拒否するのは明白な軍事研究である。軍事研究といえども基礎研究とつながっており、境界を定めることができない」として、決議三を変更しました。要するにデュアルユースであるというわけです。「明白な軍事研究は拒否」というのは、武器を直接つくるような研究はやりませんということのようです。しかし明白でない軍事研究、直接軍事にかかわる武器の一歩手前、二歩手前のもの、軍事装備品のアイデアだけのようなものだったら構わないことになります。

結局、「研究費が軍関係から出たり、軍関係者の研究が提出されても、その研究内容が明白な軍事研究でなければ拒否しない」ということになりました。日本物理学会というのは学界の中では一番先進的な学会であったのですが、早くも、一九九五年の段階でこのような意見になっているのです。「これらは国際的な慣行に従っており、国際対応のためには必要なことである」というわけです。世界がそうなのだからという理由付けなのですね。

日本物理学会だけでなく、米軍からの資金援助を、一九五九年から六七年の間に多くの大学や学術機関も受けていたということがわかりました。その米軍資金の導入が、その後のマスコミの調査で現在もなお続いているということがわかっています。現在もさまざまな格好で、アメリカの空軍や海軍から研究費が継続して流入している実態があるのです。

それ以外に日本の科学の世界の軍事化がどんどん進んでいます。一つは防衛装備庁と大学や研究機関との「技術交流」が行われています。これは予算のやり取りはないという建前で、技術のアイデアのノウハウを交換するということです。それから「安全保障技術研究推進制度」はさきほど言いました。二〇一五年から始まって、三億円、六億円、一一〇億円という大きな予算になり、現在も一〇〇億円の規模で続いています。

それ以外に学生への浸透というのがあって、防衛省への学生の「インターンシップ制度」で、もう一〇年以上前から続いています。インターンシップを行った学生の感想文をホームページに出しています。「おもしろいよ、すばらしいよ」ということを盛んに宣伝するわけです。学生をつかむ方策ですね。

大学教員を使う方法も広がっています。大学教員を防衛装備庁の評価委員会、あるいは審査委員会、講演というような格好で依頼・発令をして報酬を提供するわけです。これは戦前の軍への大学教員の嘱託制度に匹敵するようなものになっていくのではないかと懸念しています。戦前は嘱託という制度でさまざまな軍とつながってきたわけです。

もう一つ、総合科学技術・イノベーション会議という長い名前の会議があるのですが、これは内閣総理大臣が議長で内閣総理大臣が諮問を受け、内閣総理大臣が自分自身あての答申を出す変な会議で、現在の日本の科学技術政策を牛耳っている会議です。要するに、内閣総理大臣のお気に入りの学者や財界人や評論家を集めて、望み通りの政策を提言させるのです。

この会議が主唱してＩｍＰＡＣＴあるいはＳＩＰという、ハイリスクの研究支援、軍事転用が可能な技術開発をおこなうというプロジェクトが進められています。これは文部科学省が出す研究費ではなく、内閣府が用意する金で、両方とも五〇〇億円規模です。非常に大きな金を内閣府が選んだ少数の研究者に支給する方式で、ハイリスク研究の支援という名目です。二〇二〇年から始まるのがムーンショット型研究開発で、ＩｍＰＡＣＴもＳＩＰも年限がきたので新たにムーンショット型開発を開始しようというわけです。なんとこの予算は一〇〇〇億円です。

そういう、文科省が用意する学術研究予算以外の、こういう大口の資金でかなりの研究者がつられています。このような審査や評価の甘い政府直轄のシステムが動き出しており、そこに軍事転用を目指したプロジェクトも入り得るということです。というように、日本の科学の軍事化がどんどん進んでいる状況にあります。

さきほど述べた防衛装備庁の「安全保障技術研究推進制度」は、具体的な軍事研究の促進として私たちは反対運動の標的にしておりますけれども、実は非常にやりにくい側面もあります。直接軍事目的を看板に掲げているわけではないからです。そのような防衛装備庁の作戦に慣らされていくうちに、いつ軍事目的に変わるかというのはわかりません。そういう偽装した予算の使い方が進んでいるというわけです。

「大学改革」三〇年の歴史

次頁に一九九〇年代からの、ほぼ一〇年間の大学に関連する主な事柄を列挙した大学年表を示しています。これを見ると、一九九〇年代前半が大学の非常に大きな変動期であったことがわかりますね。産学共同というのは一九九〇年代からおおっぴらに始まるようになりました。現在は「産官学連携」と言い、どの大学もその看板をあげています。もはや「産学共同反対」なんて言うのは、時代錯誤もはなはだしいという状況になっているわけです。実際、産学共同をやらないと工学系の人たちの研究費が賄えない状況になっています。大学設置基準の大綱化というのは、教養部が廃止されたということです。それから大学院重点化が行われました。さらに、国立大学の法人化に向けて具体的な国立大学の制度改革が行われました。これが二〇〇四年のことです。このような背景の中で現在の大学の悲惨な状況が進んでいるわけです。

二〇一四年にＯＥＣＤの閣僚理事会で安倍首相が基調演説をおこなっています。これはいまの

「大学改革」三〇年の歴史

1990年代〜	産学共同の奨励→今や「産官学連携」として定着
1991年	大学設置基準の大綱化→教養部の廃止
1995年〜	大学院重点化
1996年	科学技術基本計画→「選択と集中」政策
1997年	橋本行革「教員養成課程学生定員の削減」→ゼロ免拡大
2001年	小泉内閣「聖域なき構造改革」→国立大学民営化 文部省「遠山プラン」(再編統合、経営的手法、第三者評価)
2004年	国立大学の法人化→運営費交付金の毎年1%削減

大学行政をそのまま露骨に表していると思うのですが、「私は教育改革を進めています。学術研究を深めるのではなく、もっと社会のニーズを見据えた、もっと実践的な職業教育を行う。そうした新たな枠組みを高等教育に取り組みます」と、彼は宣言したわけです。

まさにこのような流れの中で現在の大学行政が進んでいます。今、大学に入学したらみんなすぐに就活でしょう。要するに大学が専門学校並みの、就職のための場になりつつあるわけです。「大学は専門学校とは違う」と思うのですが、その出所はまさにここ「実践的な職業教育を行う」にあるわけです。

あと大学の国家統制という格好で、学校教育法が改正されて教授会の権限が非常に小さくなりました。いま具体的に行われているのは、大学改革と研究資金改革を一体的に行うということです。単純に言いますと、予算を通じて大学を締め上げるということですね。

科学技術基本計画に大学関係の問題がたくさん出ているのですが、その中で、日本の大学の研究力が落ちているということは認めざるを得なくなっています。現実に政府も認めているのです。「基盤的な力」が弱体化していると書かれています。しかし、それに対して産学連携の本格的な段階に至っていないため、つまり大学が怠けているからだと言うのです。もっと徹底して産学共同をやれというわけです。

それから大学の改革、例えば大学教員の年俸制があります。退職金込みで給料が決まっていると宣伝しているシステムです。そうすれば大学が変わりやすいという建前で、ほとんどの大学はそうなっていいます。そのような形で、さまざまに大学教員の締め上げが行われているというのが現状です。

研究費を通じての大学支配ということが軍事化につながるという危険性があります。というのは、現在では競争的資金でしか研究費が手に入りません。その競争的資金の一つとして防衛装備庁の金があるという形です。そうなると防衛装備庁の金であってもほしい、軍事研究であってもいいじゃないの、となっていくわけです。

私が前にいた国立天文台が、二〇一六年には教授会が「防衛装備庁の制度には絶対応募しない」という決議をあげていたのですが、現在新しい台長になって、「方針を変えよう、この制度に応募しよう」ということを言い出しました。国立天文台が所属する自然科学研究機構が反対を決議したので、この話は立ち消えになったのですが、そういうふうに各研究機関が研究費不足に音を上げ、軍事研究に手を染めていくという状況に追い詰めらているのですね。軍事研究は諸外国では当たり前だとよく言われます。まさしくそうなのです。外国では、大学での軍事研究は当然とされているからです。

しかし、日本では先ほど言ったように一九五〇年と一九六七年の二回も日本学術会議が軍事研究をおこなわないということを決議したわけです。さらに二〇一七年三月の日本学術会議の声明でも、基本的には防衛装備庁のこの制度には手を出すべきではないということ、大学に国家権力の介入を招く恐れがあるから慎重に対処すべきということを言ったわけです。

そういうような学術の世界が軍事研究に手を染めないというのは、日本は世界では稀なる国なのです。日本国憲法が稀なる憲法であるのと同じです。これは誇るべきことです。何か世界と同じようなレベルにするということを「世界標準」なんて言うのですけれども、その国自身が独自に選んだ方向をずっと大事にするということも非常に重要なことです。その点は、私たち自身、もっと誇りをもって初心を貫徹しなければならないと思っています。

「知」をいかに使うかの「岐路」

だから今、科学が軍の幇間(ほうかん)になるかどうかの「岐路」に差し掛かっています。「幇間」という古い言葉を使ったのですが、太鼓持ちということですね。今流に言えば「ポチ」になるということです。安倍さんがアメリカのポチになっていたように、科学が軍のポチになってはいけませんよ、ということです。そうだと政府や軍にのみ奉仕する科学になってしまいます。人殺しのための道具の開発にいずれ巻き込まれていくのは確実です。はじめはちょっとだけのつもりが、どんどんどんどん軍とのつながりが拡大していくということになるでしょう。科学者はいかなる軍事も拒否する存在であるべきだと思います。

もう一つ、今は「知の共同体」としての大学の「岐路」です。大学はまさに公共財としての「知」を生み出す共同体であり、人類の知的世界を豊かにするためのアカデミックの共同体のはずです。そこが崩れてくるということを許すかどうかの分かれ道に現在立っていると思います。

言うなれば、大学というのは、やはり世界の普遍性とか人類の未来に対して奉仕する組織なのです。学術の原点、つまり世界の平和のためとか、人類の幸福のためという学術の原点に立脚した大学であり、また学術研究であるということ、これはやっぱり忘れてはなりません。ということを私としては何度も強調したいと思います。

軍事研究に手を出す大学も無論あるわけです。一番大事なことは、大学が組織として倫理規範をきちっと確立することです。学長がいいとか悪いとか言っただけでコロコロ方針が変わるということになってはいけません。それがまさに倫理の強さです。大学としていろいろな規約とか、組織方針とかを決めているのは法律ではありません。まさに大学人が培った倫理契約なのです。大学の中の人間にとって、集団としての倫理規範こそが徹底的に大事なのです。

大学は、さまざまな出自・立場・思想の人々が集まっているところです。個人として強く自己主張ができる場であるとともに、多くの人々の異論・反論・争論を聞くことができる場でありま す。つまり自己本位にならず、他の人々との共感を育てることができる場なのです。私たちは、自分が持つ感想や意見を率直に表すとともに、他の人々のそれらを聞いて、互いを磨き合うことができるのです。それが民主主義の根本であり、大学という場はそれを実体験することが日常的に行われ得る場であると言えるでしょう。それは次世代の若者を教育する場として必須の条件でもあります。

学問の自由は、個人が自分の発想から自由に学問ができることを意味するだけではなく、そのような個人が個々の欲求を持つ研究者集団として論を交わし、あるべき選択をしていくことではないでしょうか。その選択に国家や権力などのような外部からの力が及ぶようであってはいけません。「自由」についての責任や配慮を共に考えてベストの解を見出す、それが達成されれば真の「学問の自由」が達成できるのではないかと思います。

第Ⅲ部　「慣性系（せかい）」をとらえるまなざし

第10章　司馬江漢――窮理学師のまなざす宇宙

大学を引退したら、江戸時代の博物学について調べて何か書きたいと思っていた。西洋においては、科学革命が起った一七世紀と科学の専門分化が始まる一九世紀との中間の一八世紀において、「理性の世紀（あるいは啓蒙の時代）」が挟まっている。理性の知によって世界を把握しようとする思想運動とされるが、科学においては「博物学の時代」であった。自然界の事物にかかわる歴史・人事・文学・自然現象などを網羅して記載し分類する総合的な学問で、科学的な面からの考察や観察記録も欠かせない要素であった。その知見を一定の体系の下で集大成した博物誌や百科全書は、人々の知の楽しみとなるとともに学術の基礎となり、「科学の世紀」たる一九世紀を準備したと言える。

日本ではそのような組織的な博物学の時代がなかったのだが、それが近代科学の出発において西欧から遅れをとった一つの理由ではないかと考えている。その結果、人々が科学を知的遊戯として楽しむ習慣が身に付かず、それは現代まで続いているのではないか、と思っていた。

しかし、それは浅学非才の早とちりであった。例えば、江戸時代には中国から渡来した薬草採集が目的の本草学に始まり、魚介類や鉱物などの蒐集も加わって物産学へと広がり、植物学・化学・鉱物学の前触れになったからだ。また、八代将軍正宗が蘭学を解禁したことから物事の理を極める窮理学が広がり、西洋の医学・天文学・物理学などの著作の翻訳が行われて、博物学に挑戦する学者も現れるようになった事実もある。

そこで本草学や窮理学の広がりを追うことによって、科学に対する日本的な接近・方途の特徴を洗い出し、かつそこに思いがけない科学上の発見がないかを調べてみたいと思うようになった。現代の定量化を専らとする分析一辺倒の科学に対して、私が「等身大の科学」と呼ぶ、人間スケールの現象の定性的記述を主にした科学がここに発見できないかと考えたからだ。

最初に目を付けたのが、学者ではなく商人でありながら学問に親しみ、その探究を楽しみつつ博物学的に多様な物品を蒐集し、日本人として珍しいスケールの大きな発想を持って業績を残した二人の人物である。奇しくも同時代人で一人は大坂の酒屋の主人であった木村兼葭堂（きむらけんかどう）（一七三六―一八〇二）、もう一人は大坂の両替屋の番頭であった山片蟠桃（やまがたばんとう）（一七四八―一八二一）である。二人とも商売において人並み以上の有能さを発揮するとともに、趣味としてかかわった仕事が特筆されるのだ。兼葭堂は、本草学・書画・骨董・稀覯（きこう）本・貝類・植物などの蒐集で知られ、自ら絵筆を持って大和絵を描き、珍客・文人を招いては宿泊させ、遅くまで文化談義に花を咲かせるという稀代のディレッタントであった。他方の蟠桃は、主として志筑忠雄の翻訳に学びながら、『夢の代』という著作において無限宇宙論を展開しているのである。

この二人については昔から優れた評伝が書かれており、今さら付け足すことがないように思っていた。しかし、文献を調べるうちに、私の専門とする天文学・宇宙論という観点から見れば、少なくとも文科系の人には気づかない点もあると気が付いたのだ。そこでこの二人について調べ始めたのである。

蟠桃から遡る

最初に手を付けたのが山片蟠桃で、『夢の代』は神仏や迷信を否定したり太陽暦を採用することを推奨したりと、実に合理的な精神で社会全般を論じた本なのだが、ここに有名な「大宇宙論」[1]が展開されている。地球は太陽の周りを回るとの地動説の立場に立ち、さらに太陽は宇宙空間に点々と分布する恒星の一つであり、それら恒星一つ一つに太陽系のような惑星が付属していて生命が誕生しているかもしれない、との大胆な説である。ローマ教会によって一六〇〇年に火炙りの刑に処せられたジョルダーノ・ブルーノの主張にそっくりと言える。およそ古代から、宇宙の全体構造を論じる宇宙論という分野は日本人には馴染みがないにもかかわらず、江戸時代末期の一八一〇年頃に、このような思い切った議論を持ち出す蟠桃にびっくりした。そもそも蟠桃は遣り手の金貸しであり、およそ窮理学などには縁のなさそうな人物なのである。

そこで『夢の代』を読み始めたのだが、日本最初のニュートンの紹介者であるオランダ語通詞の志筑忠雄(一七六〇―一八〇六)の翻訳書である『暦象新書』から重要な部分で引用されているので、これに立ち寄らざるを得ないことがわかった。蟠桃は志筑の議論を下敷きにしているから、その独創性を探るためには、『暦象新書』に立ち寄る必要があるのだ。さらに、ここでは地動説が当然とされているが、当時の日本では朱子学の五行説に基づく天動説が当たり前であったことを思えば、地動説の受容についての歴史を調べておかねばならない。天動説・地動説は、まさに宇宙構造論の出発点であるからだ。

そうすると、志筑の師匠であり「日本のコペルニクス」と呼ばれた通詞の本木良永(もときよしなが)(一七三五―一七九四)の『天地二球用法』など地動説に関する著作(翻訳)にも当たっておかねばならない。本木は、オランダ語の著作から学んだコペルニクスの地動説の合理性に気づいてこれを周囲に広めており、志筑はその地動説から宇宙論へと発展させた本を翻訳・紹介したのである。しかし、本木は一介のオランダ語の通詞でしかなく、翻訳は写本でしか流通しなかったのだから、地動説を世の中に広める役の人間は別にいたに違いない。どうやらそれが、南画や大和絵や浮世絵で名高い絵師であり、銅版画を日本で最初に手掛け、さらに洋風画を開拓して、自らの絵画作品を諸侯や貴人に売ることを生業とした画家の司馬江漢(しばこうかん)(一七四七―一八一八)であったことがわかってきた。彼は中年を過ぎてから窮理学に夢中になって天文・地理を論じ、地球図や宇宙図を銅板で描き、いくつかの著作で地動説を広めるのに大きな功があったのである。

こうして司馬江漢にまで遡ることになった。ここまでは歴史的によく知られており、これから述べるささやかな発見もあり楽しい作業であったのだが、このまま古典の探索を続けるとキリがないことに気づいた。地動説に関して言及すべき人物として、三浦梅園（一七二三—一七八九）、麻田剛立（一七三四—一七九九）、本田利明（一七四三—一八二〇）、桂川甫周（一七五一—一八〇九）、森島中良（一七五四—一八一〇）、高橋至時（一七六四—一八〇四）、帆足万里（一七七八—一八五二）、など、続々と名が挙がってくるからだ。これに蘭学に関連する吉雄耕牛（一七二四—一八〇〇）、前野良沢（一七二三—一八〇三）、杉田玄白（一七三三—一八一七）、大槻玄沢（一七五七—一八二七）などを加えれば探索の切りがなくなってしまう。もはや完全にお手上げである。[2] そこで司馬江漢で打ち止めとして、「日本における宇宙構造論——地動説から大宇宙論へ」という線でとりあえず古典探索をまとめることにした。

ただし、原典まで当たるとなると漢文や古語を使いこなさねばならず、この面の教養に乏しい私には手に余る。そこで、原典が易しい和文に直されている書物か、後代の評論や解説本に頼る他ない。この文章は専門の研究書でなくエッセイだから、そのような安直な読み方の結果であることを了解していただきたいと思っている。

本木から江漢へ

こうして、蟠桃—志筑—本木—江漢と宇宙論の系譜を遡ることになったのだが、ここには天文学者は誰もいない。当時の日本の天文学は、「暦算天文学」と呼ばれる暦作りに集中しており、その限りにおいては地球が中心にあって不動であるとする天動説のままで何ら問題はなかったのである。日食や月食、潮汐、月の望と朔など暦に載る現象は、地球を中心にして記述する天の事象ばかりであるからだ。江漢が活躍した一七八〇年から一八一〇年当時のヨーロッパではとっくにコペルニクスの太陽中心説（地動説）が正しいとされるようになっていたが、聖書に忠実なイエズス会の宣教師が中国に伝えていた宇宙論は天動説（プトレマイオス説）と地動説（コペルニクス説）の折衷であるティコ・ブラーエの説（惑星は太陽の周りを回りつつ、それ全体は月とともに地球の周りを回る）であり、中国からの文献しか知らなかった日本も同じであった。暦の作成にとっては、ティコ・ブラーエの説はプトレマイオス説と本質的に変わらなかった。だから、有能な天文学者であった麻田剛立ですら地動説を耳にしたが、わざわざそれに乗り換えることはしなかったのである。

本木良永は、一七七四年にブラウの著書を『天地二球用法』として翻訳したが、コペルニクス説はほんの紹介程度に済ませていた。彼にもコペルニクス説への躊躇があったのだろう。二〇年近く後の一七九二年になって、J・アダムスの本を『星術本原太陽窮理了解新制天地二球用法記』という標題で訳し、コペルニクス説の完全な紹介を行っている。腹をくくって、自分の意見も加えて地動説の全貌を文字にしたのである（老中松平定信の秘密の命があったらしい）。

もっとも、長崎通詞の間では地動説はもはや常識と言ってよかったらしい。一七七八年に長崎を訪れた三浦梅園は、本木の翻訳書の校訂者である松村元綱や通詞の吉雄耕牛と談論する中で、中心に太陽が位置し周囲に六個の惑星（水星・金星・地球・火星・木星・土星）の軌道と地球の周囲を回る月を立体的に示す「地動儀模型」を見ているからだ。このことから地動説の立場を確信した梅園は急いで麻田剛立にこれを知らせる手紙を書き、自らの著作にも書き留めている（しかし、それ以上追究するには知識が欠けていた）。また、一七八八年に司馬江漢は長崎を訪れ、本木と何度か会ううちに地動説に肩入れするようになった。このことが契機となって江漢は西洋天文学に魅力を覚えたのだろう、以後窮理学に夢中になって天文・地理に凝り、日本における最初の地動説の「普及者」の役を果たした。とはいえ、彼は『春波楼筆記』（一八一一年、文化八年）に得意げに記したように「わが国に初めて自転の説を開いた」人間ではない。ともあれ、地動説を広める上で大きな役割を果たしたのは事実である。

司馬江漢という人物

司馬江漢については、いくつも評伝や解説が出されているが、一般に評判は芳しいとは言えない。しかし奇妙な魅力を感じる人物でもある。その理由はいろいろある。

一つの理由は、明らかに彼が学者でなく、しっかりした学問的素養の下で地動説の宣伝をしたのではなく、耳学問や写本の閲読で窮理学を学び、いわば付け焼刃の知識を振り回していたという印象が強いためであろう。我々は歴史を回顧する場合、しっかりした典拠に基づく学者の記述を信用し、一介の町絵師の言動は信用ならないと思ってしまう。実際、親の仕事を継ぐことが当たり前であった江戸時代、学者や通詞になろうと望む者はその家柄に生まれねば（あるいは養子にならねば）ならなかった。江漢はそもそも親がどんな仕事をしていたかもわからない人間で、信用ある歴史の証人とはみなされないのである。

もう一つの理由は、江漢はまさに野人であって、感心できない言動が多くみられることである。実際に彼は多くの文章を残しているが、大言壮語する、人を平気でけなす、自負心や自惚れが強い、豪放不遜に語る、強引に我意を通す、奇矯な行動が多い（生前に自分の死亡通知を出して供養し、年齢を九歳上に偽った）、実証性に乏しく言いっぱなしが多い、間違いが多く（嘘も混じっており）信用できないなどが目につく。その面を見ると、江漢を否定的に見たり、好ましく思わなかったりするのは当然だろう。しかし、このような欠点は、彼に芸術家気質（空想癖や驕慢さ）があり、常識や既成の伝統に捉われず、身分差を気にしない平等主義者であって、町絵師として自己の名利（名声と利得）を唯一の頼みとし、宗教や迷信を否定する勇気の持ち主で、庶民への同情心に厚いなど、彼の性格や主義と裏腹の関係にあったと言える。こちらの面を重視するなら、彼の言動もそれなりに理解できるのである。

その意味では司馬江漢は一筋縄でいかない人物であり、単純に切り捨ててしまう存在ではないことは事実である。実は、私はこの面に魅力を感じ彼の著作や彼に対する評論に深入りすることになってしまったのだ。

江漢の宇宙構造論

さて、肝心の江漢の地動説や宇宙構造論にかかわることで、私が特に興味を惹いたところをまとめておこう。

彼が地動説を唱導し始めたのは、一七九三年（寛政五年）の銅版画『地球全図略説（図解）』で、まだ「日は正中にあり、地は天をめぐり」というようなおずおずした書きぶりであった。続く一七九六年（寛政八年）の銅版画『和蘭天説（図解）』では、少し広げて「日輪は中心にありて運転し、衆星及びこの地球、太陽を囲んでめぐらん」と書いている。かなり自信を得たようである。

それから一二年経った一八〇八年（文化五年）、銅版画『刻白爾天文図解』を出版した時点では、強く自信を持って地動説を推奨している。「刻白爾」を「コッペル」と読ませてコペルニクスのつもりのようだが、これは当時の当て字でケプラーを意味しており、コペルニクスは歌白尼でなければならない（ここにも彼の軽率な面が見える）。ここに「太陽が中心にあって動かず、地球は一日に一回転して一昼夜となり、天を一度ずつ進んで一年となる、地球に似た星が天に五つあって、木火土金水と名付け、西洋では惑星と呼ぶ」と、本木が名付けたばかりの「惑星」という言葉までも使って地動説を忠実に解説している。そして、「今より三三七年以前、この時点の説を考究してヨーロッパ諸州この説に従う。実に窮理と言うべし」と書いており、彼の自信のほどが窺われる。それに「この編の全説は西洋の書にして、先に長崎の訳司本木氏翻訳する者にして、余乞うてこれを閲覧するに刻白爾の窮理自転の説なり」として、プライオリティは本木氏にあることを宣告しており、ここでは謙虚であった。

しかも注目されることは、下巻に「外天を恒星天と呼ぶ、我が天内に非ず（頭注に「恒星天は二十八宿及び衆星の天を言う、その高きこと無量大数」とある）、その高きこと思議すべからず、恒星と名付けるものその象（かたち）を変ぜず、かつ所を移さず、万古列を失わず、故に列星と名づく。星皆大小あり、金銀の色あり、天漢の中ただ気と名づけるもの、星の象をなさず、望遠鏡を持って窺い観るに、悉く小星にしてかぎりなし。層々と重なりて、地上の人、肉眼に視ると言えども、必ず我が天の五星のごときものに非ず、日輪のごときものなり、故に天無数、それ極まりなし」と書いていることである。太陽系宇宙に留まらず、無数の星が群れる世界、無限に広がる宇宙を構想しているのだ。これは志筑忠雄が紹介し山片蟠桃が構想した無限宇宙と同類であり、司馬江漢もその入り口に立っていたことがわかる。芸術家の直観恐るべし、と言うべきだろう。

さらに付け加えるとすれば、彼は自らの宇宙論を彼の人生観と重ね合わせて考えていたことがわかる。一八〇五年（文化二年）の銅版画『和蘭通舶』において「恒天の一星ごとに、我が天の五星あるいは六星あって、別の一天を成す、天に極まりあるべからず」と書き、「我が天の六惑星の各々を俯き仰いで根もなく、無始より旋り、その終わりを知らず、天の大に地の小にして、四面皆人生ず。人小にしてその量をなすべからず、ああ誰と共にその理を談ぜん」と付け加えている。無限宇宙に星が無数散らばるだけでなく、その星には地球と同じような惑星が付随しており、そこに人間がいることさえ思い描こうとしていると考えるのは深読みだろうか。

おわりに、江漢の地動説・宇宙構造論がどう受け取られていたかをまとめておこう。

一つは、本田利明が書いた『西域物語』（一七九八年、寛政一〇年）で、ここでは「近頃、司馬江漢なる者、天球と地球の図を銅板を用いて彫刻せり」と書いており、さらに「日本に始めて自転の説を聞く（自転の説、今にして知る者二、三輩）」と注釈している。『和蘭天説』（一七九五年）が出てからのことで、世間の注目を惹いたのであろう。この段階では江漢は地動説の紹介で注目されていたのである。

もう一つは、天文学者である高橋至時の著書『増修消長法』（一七九八年）に「贈麻田翁」と書かれた一文が挟まれていて、そこには「先のところ、司馬江漢が来て話をしました。先日ご覧に入れた西洋の新しい窮理のなかで、衆星は太陽なりと申す説があるようです。かねてからこのことを考えていたのですが、先人がまさに私の考えを先取りしていたようです。（中略）天体は今見たように太陽天のようなものを数十万積み重ねたもので、広大無辺であることでしょう。天の無窮であること言語を絶すものがあります」とある。ここにも無限の宇宙、無数の星の存在が想像されている。地動説をそのまま延長すれば必然的にこのように考えるのが自然であり、江漢と至時は対話の中で無限宇宙の考えに至ったのではないだろうか。江漢は宇宙構造論を地動説の解説に必ず付け加えるようになったような気がする。

最後に、江漢の死後に出された片山円然（一七六四―？）の『天学略名目』（一八二六年）にある「西洋自転の新説」と題する面白い文章を紹介しておこう。片山円然（松斎）は司馬江漢の弟子の一人だが、その没年はわからないように晩年の詳細は不明である。この文章では、まず「西洋波羅尼亜国「歌白泥（コッペルニキュス）」なる者の説に」とあって由緒正しく地動説を説明した後、「恒天の衆星二十八宿は上天の日輪にして各天の中央にありて万古移旋せず。恒天の日輪ごとに我が天の地球五星月輪のごとき世界を分附して別の一天をなす。恒星の大小層々として際限あるべからず。無量百千億の日輪、万億の地球ありて各々一宇宙をなすこと、営々として野馬の大虚にあるがごとし」と、江漢が述べた宇宙構造をさらに詳しく言及している。「野馬の太虚にあるがごとし」は、なかなか巧い喩えだが、江漢が『和蘭天説』で既に使っていた見立ての焼き直しである。

そして、「司馬江漢子和蘭の学に篤く、天文窮理の道に精しく、日輪不動地球運旋の理を発明し、研究年を積んで遂に和蘭の書を翻訳し、和蘭天説、刻白爾天文図解を著選してかの西洋新奇の天学を講演する。ああ司馬子のごときは本朝自転の元祖と言うべし」と、師匠をむやみに褒め上げている。このような本が出版されていることから、江漢の銅版画と著作を通じて地動説を受け入れるファンが多く出て来たと推測される。江漢は優れた啓蒙家であったのだ。さらに、窮理学師江漢の活躍によって、窮理学の各分野で若者たちが専門的研究を行う機運を生み出す一つの原動力となったのではないだろうか。窮理学の隆盛の時代を迎えるからだ。以って江漢瞑すべきだろう。

なお、司馬江漢について著者は、『司馬江漢——江戸の「ダ・ヴィンチ」の型破り人生』（集英社新書、二〇一八年）と題する著作を上梓した。興味を持たれた方は、この本を手にして頂ければ幸いである。

註

（1）山片蟠桃の宇宙論をわざわざ「大宇宙論」と呼んだのは有坂隆道で、地動説の立脚する太陽系宇宙論（小宇宙論）に対し、恒星が無数に散らばって無数の太陽系を構成しているという壮大な宇宙構造論のことを指す。

（2）それにしても、一七〇〇年代後半から一八〇〇年代前半にかけて、実に多才な人物が数多く輩出したものである。以上に含まれない分野の著名人として、作家の山東京伝（一七六一—一八一六）、式亭三馬（一七七六—一八二二）、太田南畝（一七四九—一八二三）、画家の浦上玉堂（一七四五—一八二〇）、亜欧堂田善（一七四八—一八〇五）、葛飾北斎（一七六〇—一八四九）、谷文晁（一七六三—一八四〇）、田能村竹田（一七七七—一八三五）、本草学者の小野蘭山（一七二九—一八一〇）、などが挙げられる（他にも多くの人物がここには漏れているものと思われる）。将軍吉宗の統治から文化・文政へと続いた一種の「文化革命」の時代であったためだろう。異文化交流は、文化革命を招くのである。

第11章

志筑忠雄と山片蟠桃——江戸の宇宙論

前章では、江戸時代後期の一八〇〇年前後、日本において地動説が受容され、宇宙構造論まで展開される状況が生じていたことを、司馬江漢を舞台回しにして述べた。司馬江漢は多様多彩な人物であったけれど、窮理師の側面を取り出すと意外に単純で、本木良永の『星術本原太陽窮理了解新制天地二球用法記』（一七九二年）を丸呑みして天動説を宣伝したに過ぎなかった。それは当時としては画期的な試みではあったが、芸術家の空想に近いものであり、江漢が学問的な苦労をしたわけではない。

そこでさらに私は、山片蟠桃の「大宇宙論」に挑戦しようと考えた。彼の『夢の代』（一八二〇年）を読むと、宇宙の構造をしっかりと把握した上での大宇宙論を提唱したことがわかる。しかし、その前提には志筑忠雄の『暦象新書』（上篇一七九八年、中篇一八〇〇年、下篇一八〇二年）と題した翻訳によるニュートン力学の紹介があったことは明らかである。時代順に言えば、志筑の仕事がまずあり、その基礎の上に蟠桃の宇宙論の開花があったわけで、その系列として二人を捉える必要がある。そこで、本章は「志筑と蟠桃」を題材として、二人がどのような歩みをしたかを解説しよう。それにしても、宇宙論という日本人にはあまり馴染みがない分野なのに、江漢・志筑・蟠桃とほとんど同時期の天文学者でもない三人の人間が、それぞれ自分の役割を心得ていたかのように宇宙への想像を積み重ねていったことに、歴史の妙を覚えている。

志筑忠雄という長崎通詞

志筑忠雄は、長崎の資産家中野家に生まれたがオランダ通詞の志筑家の養子となり、一七七六年に養父の跡を継いで稽古通詞となった。ところが、翌年早々に（一説では一七八二年に）病気であること、そして「口舌不得手」であることを理由に通詞職を辞し、以後蘭書の翻訳・研究に没頭したという変わった経歴を持つ人物である。[1]

杉田玄白は『蘭学事始』（一八一五年）で、日本の蘭学がいかに始まったかを書いているが、もっぱら江戸中心の視点であり、長崎通詞が日本への蘭学紹介に果たした役割を過小にしか評価していない。例えば、「蘭学というものが江戸で大いに開けたということに対して、通詞たちのあいだでは忌み憎んでいるということである」と言っている。その理由は『解体新書』（一七七四年）を翻訳していた頃は、「通詞たちは通弁するだけのことであって、書物を読んで翻訳するなどということもなかった時代であった」というわけだ。実際には、既に長崎通詞たちによっていくつも翻訳本が出されており、意図的に事実を無視している。それは「これまで通詞の家で、一切の御用向きを取り扱うのに、あちらの文字というものを知らないで、ただ暗記している言葉だけで通弁」しているに過ぎないとの偏見が玄白に強くあったからだ。江戸こそ学問の中心であると思い込んでおり、中央にいる人間が陥りがちな傲慢な自己中心意識が露わである。

とはいえ、『蘭学事始』の最後のあたりに「逸材の長崎通詞たち」という項をわざわざ起こしているのは、いくらなんでも長崎通詞たちの活躍を無視するわけにはいかないためであったのだろう。まず本木良永の名を掲げてはいるが、「本木栄之進という人に、一、二の天文・暦説の訳書があるということである」とのみ書くだけで素気ない。続いて、志筑忠雄について「この人（木本）の弟子に志筑忠次郎というひとりの通詞がいた。（略）ひとり学んで、もっぱらオランダの本を読みふけり、多くの書物に目を通して、そのうちでも特にオランダ語文の書物を研究・解明したということである」と紹介をしているが、すぐに「吉雄六次郎、馬場千之助（佐十郎）などという人が、その門に入って、オランダ語の品詞や文章などに関する文法の大要を伝えたものであるという」と話を逸らせ、江戸に関係の深い馬場についての話題にしている。玄白はずっと長崎通詞を一段低く見ていたことがわかる。

とはいえ、さすがにこれではフェアではないと感じたのか、「さて、さきの忠次郎という人は、我が国に和蘭通詞という名ができてから、前にもない第一人者であろうと言われている」と伝聞の形で再び志筑を取り上げている。やはり彼を無視できないからである。そこで、「もしこの人が引退しないで通詞職についていたならば、かえってこれほどまでには至らなかったのではなかろうか」と、通詞を辞めたことが名を挙げた原因だと言う。そして、「これは、あるいは江戸でわれわれの仲間が、師もなく友もなくて、ただ推量でオランダの書物の訳読をはじめたことで、彼も発憤してできたことであったかと思われる[2]」と、江戸の人間が翻訳を始めたことが志筑を刺激し奮い立たせたためであると、あくまで江戸の功績としている。さて志筑がどんな仕事で「第一人者」となり、「これほどまで」になったのか、何も書いていない。玄白にとっては志筑の才能を口惜しく思ったためかもしれない。

志筑の業績として、オランダ語の研究書十種、世界地理・歴史関係書が六種、物理学・数学関係の研究書が二一種と分類されている(『蘭学のフロンティア[3]』)。これを見るだけで、彼が文系・理系の両分野に長けていたことがわかる。以下に述べるように、彼は翻訳作品ばかりを残しているのだが、達者な語学の知識を基礎にしてしっかり中身を把握するとともに、「忠雄曰く」とか「忠雄案ずるに」と注釈して、自分の意見や考えを、時には本文以上の長さで付け加えて理解の筋道を示していることが注目される。蘭語・蘭学の「第一人者」であるとともに、翻訳書であっても研究的態度・批判的観点を貫いて自分の意見を述べることを躊躇しなかったのである。

彼の作品の代表的なものを挙げると、まず第一に『蘭学生前父』(発刊年不詳)や『助詞考』(一八〇一年)など、日本で初めて西洋語文法の体系・品詞の概念を提起した著書がある。動詞・自動詞・代名詞などの品詞名や現在・過去・未来などの時制の名称は志筑の造語らしい。

二つ目は、開国を迫るロシアなど緊迫を告げる世界の情勢や国際事情についての翻訳である。有名なのが一六九〇年に出島に来たドイツ人ケンペルが著した『日本誌』から抜粋して翻訳し注釈を加えた『鎖国論』（一八〇一年）で、幕末期の攘夷（じょうい）論者に大きな影響を与えた。「鎖国」という語は彼の発明である。

三つ目は、数学・物理に関する翻訳・著作で、三角関数に関する『鈎股（こうこ）新編』（一七八五年）や『三角提要秘算』（一八〇三年）、物理学関係では『求力法論』（一七八四年）や『度量衡』（一八一二年）などがある。

本章に関連するのは、オックスフォード大学教授のジョン・キールが書いた、ニュートン力学の教科書『天文学・物理学入門』（原著は一七四一年刊）のオランダ語訳を日本語に翻訳した『暦象新書』である。ケプラーの法則やニュートンの運動の三法則と万有引力の法則を数学的に理解した上で、引力・求心力・遠心力・重力・分子など多くの物理用語を生み出し、「真空」を近代科学用語として使い始めたのも志筑であった。西洋に使われていて日本（中国を含め東洋）にはない概念や抽象名詞について、新用語を数多く案出して日本語を豊かにしたのである。また、先に述べたように、ケールの著作が体系的でない部分や簡単に理解できない部分には、「忠雄曰く」として文章や内容について自分の考えや解釈を述べて補っており、翻訳というより志筑忠雄のオリジナルな著作と言っていい部分が多くある。ほとんど忘れ去られているが、日本で最初にニュートン力学を受容し紹介したという点では日本の物理学史の重要人物と言える。

彼は天動説（西洋では地球中心説）・地動説（西洋では太陽中心説）という言葉を発明した。西洋では地球・太陽のいずれが（太陽系）宇宙の中心にあるかに着目しているのに対し、志筑の用語ではどちらが動いているかを表現していて相対的であり、西洋と東洋の視点の差異として興味深い。一神教の西洋では中心を占めて動かない神の位置に着目するのに対し、絶対的な神を持たない東洋では、何が主であろうと仕える家来の動きこそ大事ということなのだろうか。

よく読めば、志筑は地動説に旗を上げているのだが、当時の儒教思想（五行説と五つの動く星＝五星との対応）に基づく天動説が幕府や人々の常識であり、地動説はそれと対立するので、トーンを弱めて曖昧な表現に終始している。そこで彼が採った方針は、運動は相対的なものであり、「地動・天動、いずれをか是とし、いずれをか非とせん」との言明である。どちらが動き、どちらが動かないかを論じても意味がないと言うのだ。その理屈は、「天によりて見れば地転じ、地によりて見れば天も太陽も動かずということなし」であるからで、所詮、地球と太陽の座標変換の問題に過ぎないのだから相対的で、いずれでもよいとしたのである。もっとも、「此れにて動とすれば彼にては静とし、此れにて静とすれば彼にては動とす」を敷衍して、「昨日の是は今日の非となり、今日の不可は明日の可となる」と、相対主義を日常の議論にまで拡大しようとするのは肯けることではないが……。

むろん、太陽系に視点が閉じている間は天動・地動のいずれでも同等であるが、さらに大きな宇宙の場で考えると地動説に軍配が上がる。宇宙を俯瞰して見ると、（第ゼロ近似では）不動の恒星が点々と宇宙空間に散らばり、その周辺を惑星が回っているという描像になるからだ。既に司馬江漢がこの観点に立っている。志筑も「恒星と太陽とは同種なれば、恒星にも各々侍星（惑星のこと）ありて、我が太陽に五星あるが如くならん。然るに、その侍星又地球と同種なれば、よろしく皆国あり人あり万物あるべし。然れば、世界は宇内に粟散（粟粒が散らばる）して、その数無量なるものなりと言えり。」と、無数に恒星が散らばり、その周辺に地球と同じように人間が住む惑星（侍星と呼んでいる）があるという宇宙の姿を紹介している。

興味深いのは、「万物を見るに、大なるは小さきを含みて、その小さきものの内にもまた小さきを含みたるなれば、我らが世界といえるもまたいかなるものの内にありや、さては天地の外に天地より大なるものありて、この天地を包み含みてあらんもまた知り難し」と、入れ子になった宇宙、つまりフラクタル的な多重宇宙を論じていることである。むろん、古代中国の列子や荘子の説話で述べている動物の多重的な連鎖から連想しているのだが、このように空想を重ねていくことは窮理にとっても重要なのではないかと思ったものである（以上の引用は『暦象新書』上篇巻之下）。

『暦象新書』の最後（下篇巻之下）に書かれている「混沌分判図説」（以下「分判図説」）が面白い。というのは、太陽系の中心とか宇宙の無数の恒星分布という議論は、いわば既に存在している天の静的な構造に関する議論なのだが、この「分判図説」は太陽系の動的な形成過程に関する考察を述べているからである。宇宙の構造は永遠のものではなく、始まりがあり、形が変化していくものであるという観点から試論を提示しているのだ。志筑の主要な関心は、物質（志筑は「気」あるいはそれが集まった「質」と呼ぶ）が一様に存在して何らの構造もなかった「混沌」状態から、恒星や惑星や衛星や輪や隕石など諸々の天体に「分判」する（分かれていく、分裂する）過程を論ずることにあった。現在でいう、ビッグバン後の宇宙において、どのようにして銀河や初代の星が誕生してきたかの構造形成論の課題と基本的に同じである。志筑の場合は太陽系という小宇宙の形成論に対応して、太陽系の諸天体がどれもほぼ同一平面上にあり、それらが同じ方向に自転・公転するのはなぜか、という問題を力学概念で説明しようとしたのである。

最初の「分判」は、一様な物質（気）分布であったが「神霊」によって濃淡が生じ、密度の濃い部分の引力が強くなって収縮していき、「水の輪旋するが如くにして回転せしむ」と水とのアナロジーを使う（無から回転は生じないという角運動量保存則を知らなかった）。そして、「求団力の力止むことなきゆえに、その気中心を臨んで漸々巻きて縮す。縮するに随って、回転の動漸にして速なり。速なるに随って遠心力盛んなり。全団大に縮して後、両力相等しきに至る。是において第一天定まる。」と、引力（求団力）の働きで収縮した後に遠心力と釣り合って分判が起こると説明をしていて見事である。また、回転軸に平行な方向には引力のみが卓越するので、上下方向から一つの平面上に物質が集まると明確に述べている。

こうして出来た第一天の内部では、物質（気）がさらに巻きながら縮んでいき引力（求団力）と遠心力が釣り合うようになると第二天ができると考える。これを繰り返して第六天まで形成され、最後に中心に大団（天体）が残されることになる。中心天体に太陽を想定すると月以外の地球を含む六惑星、地球が中心であるとすると太陽と五惑星が、それぞれ中心天体の周りを公転する太陽系が出来上がるという訳である。志筑が中心天体は何かを明確に書いていないのは、先に述べた理由（地球・太陽のいずれでもよい）によるためだろう。

カントの星雲説が一七五五年、それをより精密にしたラプラスのモデルが一七九六年であることを考えれば、志筑の太陽系形成論に関する「分判図説」は一八〇二年で時期的な遜色はなく、完全に独立した独自のアイデアに基づいていることに注目したい。むろん、志筑にはニュートン力学の把握に限界があり、カント＝ラプラス説に比べれば不充分なところ（例えば、角運動量保存則）が見受けられるが、まだ科学的土壌が希薄な日本で、ここまでの内容を提示できたことは賞賛に値するのではないだろうか。

『暦象新書』を読むと、志筑がニュートン力の真髄を捉えようとする涙ぐましい努力と彼独特の表現（用語の発明を含めて）が読み取れ、彼がいかに苦闘したかがよくわかる。

山片蟠桃という豪商の番頭

もう一人の山片蟠桃は、播州神爪村（現兵庫県高砂市）に生まれ、一三歳の時に米の売買をする升屋に丁稚に出され、やがて藩米を形にして大名に金貸しを行うようになり、店が大きくなって別家させてもらっている。その間、懐徳堂に通い、天文学者の麻田剛立にも弟子入りして天文学を学んでおり、頭脳明断であるため「浪華の孔明」と言われたそうである。最初、「播陽」（播州の山の南側の出身という意味）という号を使っていた。一八〇二年頃に『宰我の償』[4]を書いていたのだが、その内容が過激で公表を憚るとの師匠の中井履軒の言を受け入れて『夢の代』と書名を変えた。その時から「蟠桃」を号として採用することになったようである。漢の武帝の故事を書いた書物に、西王母が植えて三〇〇〇年経ってできた実が蟠桃と呼ばれたことに由来するらしいが、むろん仕事の番頭に掛けていることは明らかだろう。

二五歳の時、升屋が資金不足で危機に陥ったのだが、首尾よくを立ち直らせただけに留まらず、辣腕を発揮して天下に聞こえた豪商にまで発展させた。その一つの手法は「刺シ（差し）米」であった。農民が収めた米の品質を調べるために、米俵に竹を斜めに切った「刺シ（差し）」を突っ込んで米を抜き取って見分するという検査が行われていた（私の小さい頃も行われていた）。抜き取った米は戻すのだが、いくらかはこぼれ落ちる。蟠桃は検査の費用を持つ代償として、このこぼれ米を貰う権利を仙台藩から得たのである。武士は減り米なんてたいしたことはないと判断して蟠桃の申し出を受け入れた。この検査は、米の供出時と船に乗せる時と米仲買所に到着した時と、都合三回行われる。最初は米の等級を決め、あと二回は輸送の途中で中身がすり替えられていないかのチェックのためである。三回も「刺シ米」を行うと減り米は合計で一俵（四斗＝〇・四石）当たりで一合にもなる。当時仙台から江戸に運んでいた米は二五万石もあり、升屋は全部で六二五石もの減り米を手に入れることになった。一石一両としても莫大な金額になり、途中の検査費用を賄ってもおつりがくる。むろん、仙台藩の産米を一手に引き受けられるし、折からの大飢饉で米が値上がりしたこともあって、升屋は大儲けしたのであった。蟠桃は、一つ一つは小さいが「チリも積もれば山となる」ことを実際に示したのである。

もう一つ、晩年のことだが蟠桃の才覚を忍ばせるエピソードが残されている。一八〇八年（蟠桃六〇歳）、江戸の米価が下落して仙台藩の借財が増え、升屋の商売にも赤信号が灯るようになった。デフレで、庶民にとっては物価が下って良いようなものだが、収入も減るので金回りが悪くなり、商取引が低調になる。つまり緊縮経済が強いられるのだ。ところが、武士は生活レベルを下げないままなので藩の財政はどんどん悪化し、金貸し業の升屋にも運用すべき金がないから大ピンチとなった。このとき蟠桃は奇策を考えた。「升屋札」と呼ぶ一種の藩札を発行し、百姓から米を仕入れる時にはこの札で支払って現金を使わない、つまり藩内でのみ、この札は紙幣として通用するようにしたのである。当時、藩札を無責任に発行すると赤字がそのまま積み上がってしまうので幕府から禁制されていたのだが、「米札」と称して建て前では米の売買のみに限るとしたのだ。そうすると、何でも購入できる現金と同じ商品券ではなく、特定の品物しか買えない品物券（例えば洋服券とか靴券）だから違反ではない、という理屈で幕府の禁制を切り抜けたのである。

こうして手に入れた米は、江戸に運ばれて現金で売り、その金は大阪に回して貸し付けて利息を生ませることができる。そして、経済状況がインフレに戻った時点で藩内で「升屋札」を買い戻せば、貨幣価格が下がった分を儲けることができる（一朱の升屋札で米一升を買い上げ、その升屋札を一朱で買い戻すのだが、その時は米の値段は例えば二倍に値上がりしているので、半額で米を手に入れたことになる）。このようなやり方で升屋はボロ儲けしたのであった。とはいえ、仙台藩は「升屋札」発行の斡旋料を貰ったけれど、それ以外の旨みは全て升屋が独占したから、藩の借金を減らすことができず、仙台藩と升屋の関係がギクシャクする発端になったと言われている。蟠桃は優れて合理的な人間であり、このような手腕で升屋を豪商に仕立て上げたのである。

蟠桃の合理的思考

蟠桃の番頭たる仕事ぶりを書いてきたが、いよいよ彼の著作の『夢の代』の紹介に移ろう。本章では、一九世紀初頭の江戸期の、司馬江漢そして志筑忠雄に続く山片蟠桃の地動説から宇宙論にかかわる論点を探ることが目的だから、『夢の代』において関連する部分のみを拾い上げればよいのかもしれない。しかし、やはり蟠桃の合理的思考の全体像に触れなければ、彼が抱いた宇宙像の斬新さもわかりにくい。そこで寄り道のようだが、『夢の代』から「蟠桃の主張」のいくつかを拾っておこう。

『夢の代』の「自叙」では、「夏の日の長きに倦みて、枕を友とし眠らんとせしが」と、孔子の弟子である宰我（さいが）のように昼寝して暮らそうとしたのだが、「我既に齢五十に過ぎて、徒に稲を食らい、布帛を着て、枕にのみなづむは口惜しきことに非ずや」と思ってしまった。そこで、せめては「我竹山・履軒先生に聞きたる事を書き連ねおきて、子孫の教戒にもせば、この上の本望ならんか」と思って書き始めたというわけで、吉田兼好の『徒然草』に類似の書き出しである。しかし、「国家のことに及びしこともあるべきなれども、咎むべからず。ただ是一家の事だけで、他人の見る書にあらず」と、ここには国を騒がせかねないことも書いているから、一家だけに止めておくようにと、いささか物騒である。

そして、「この巻、はじめは眠りを止めて書きしままに、宰我の償と題せしに、履軒先生難じて、夢の代と改め題す」と、本の題名の由来を書いている。本人自身が不穏なことを書いたと認めていて、社会に挑戦する気概と覚悟を持っていたことがわかる。彼は一八一三年に眼病が進んで失明しており、周囲の者の助けを得て口述とし、死の半年前の一八二〇年に『夢の代』を完成させることができたのは、まさに彼の執念のなせる業と言うべきだろう。

「自叙」に続いて『夢の代』の「はじめに」に当たる「凡例」があり、続いて各章に当たる第一から第十二（天文、地理、神代、歴代、制度、経済、経綸、雑書、異端、無鬼上、無鬼下、雑論）に分けている。大ざっぱに内容を紹介すると、「天文・地理」で宇宙における地球や人間の存在、続いて地球世界における日本の位置を述べ、「神代・歴代」において日本の歴史、「制度・経済」では当時の日本の政治や経済の状況、「経綸・雑書」で諸学への合理主義的批判、「異端・無鬼」では仏教批判と無神論の立場、最後の「雑論」では最新の蘭学知識や天災について、ということになる。このように神羅万象を取り上げており、百科全般に至る自論の主張の書なのである。

「凡例」で書かれた、蟠桃自身の各章に対する寸言を書き写しておこう。「天文」では、「初めには謹みて古法を述ぶと言えども、ついには当時制禁の地動の説を主張し、またついに存分の臆説を発し、視る人をして迷謬（めいびゅう）せしむ」と、禁制の地動説を主張するとともに、さらにもっと大胆な思い付きをも語っており人を誤らせるかもしれないと断っている。「神代」では「皇祖のことを議し奉ること、その罪逃るるに所なし」とあるように、神話と歴史を明確に区別して神武天皇以下の神代のことは作り事であると断じている。また、「異端」では「仏法を排すること讐敵（しゅうてき）のごとし」と厳しい仏教批判を展開し、「無鬼」において霊魂の存在を否定して無神論を説き、「神託・霊験・冥罰の無きことを書き連ね」、「狐狸その余り（その他）の妖怪を誤り来たりて、心神を悩ますものを教示するものなり」と、迷信や霊魂や化け物や鬼神を信じることの誤りを説いている。これからわかるように、蟠桃は徹底した合理主義者なのである。自分の説を「怪しむことなかれ」と言いつつも、「この書人に広むることなかれ」と本書を家に止めることを推奨するのは、過激な論故に人に誹（そし）られることを恐れたのだろう。とはいえ、蟠桃が依拠している立場は朱子学と封建主義擁護であったから、その点から言えば体制内批判なのだが、個々の論においては当時の為政者を鋭く糾弾する側面が多くあったのは事実である。

天文第一の内容

以下では、『夢の代』の「天文第一」の内容を紹介しながら、蟠桃の地動説から人間が多数居住する大宇宙論へと到る過程をたどることにしよう。

第一節で神話が語る天地開闢論のナンセンスであることを述べた後に、第二節において、さっそく日本の年代表記において元号を用いることの無意味さを指摘している。元号の数が多すぎて覚えきれないからで、せめて中国のように天子が一代で一つの元号とすべきだという。日本はやっと明治維新でそうなったが、それでも人の年齢や何十年も前の出来事となると、元号の計算がややこしくなってしまう。蟠桃は「西洋は昔より年号を無くして、〝イタリア国〟の元祖ペテロ元年を始めとす」とし、「全て西洋ヨーロッパは皆これを用いるなり。煩わしからずして、年を数ふるに甚だしき益あり」と書いている。西暦の採用など考えられなかった当時に、早くもこんなふうに唱えたのは慧眼という外ない。日本では新年号「令和」の祝賀ムードで、西暦に統一しようという雰囲気は更々なく、蟠桃に合わせる顔がない。

第四節では、日本で採用している月の運行を基準にした暦(太陰暦)が不合理で、太陽の動きに合わせた暦(太陽暦)に変えるべきことを強調している。「農期をして乖異する所なからしめんと欲す」と、農作業は太陽に従って行われているからだ。そのために、蟠桃は一八〇二年(享和二年)の一年分の暦を天暦(太陽暦)と官暦(太陰暦)を比較して、どれくらいのズレが生じるかを示している。「この法以て見れば、皆その月に随う故に、山中海島と言えども時を失わざるなり」と実に明快で、蟠桃は実証的なのである。その後に、隕石や日食・月食や潮汐などに触れ、地動説についても言及している。といっても、この段階ではまだ十分に考察していない時点での原稿が混じっていたままのようで、地動説について腰を据えて議論を開始するのは第二五節からである。この二五節では「二百年ばかり以前、ついに地動儀の説を発明す。その術、日輪中央に位して永静不動、五星及び地より恒星諸天みな日を心として西に旋る。」と地動説を簡単に説明し、「欧羅巴の天学に精しきこと、古今万国に類なし。〝ホウレン〟国（ポーランド）に地谷（ティコ・ブラーエ）と言う人、地動儀の説を盛んにす。今に至りて既に三〇〇年になる。また弟子〝コーヘルニキュス〟（刻白爾、コペルニクス）これを増補す」と人名については混乱しているが、「太陽は不動にして、地球周天すと云うこと」と正しく理解している。

続く二六節に「彗星」について論評を加えている。ウイストンの『太陽明界図』を引き、「数万億の星みな太陽にして、闇夜に数多く火を見るが如し。これを明界とす。数万億の明界あり。その明界中に陰星（彗星のこと）あれば太陽の光を受けて世界となると知るべし」と、恒星の光を受けて惑星や彗星が見えることを説く。さらに、「五星・地球みな太陽に引き付けらるる」と引力が作用していることを指摘し、「太陽に近きほど引き付け強くして、その廻るやますます疾し。遠き程ようやく緩くなり」と距離によって引力の大きさが異なることも付け加えている。

そして、二七節で「五星本天一周の方数とその太陽を離るる立方数と比例することを得ん」とケプラーの第三法則を述べ、「実に真理を得たりとせんか」と、一歩一歩、地動説の法則を確認していくのである。二八節には「欧羅巴」洲「暗厄里亜」（イギリス）国の人「奇児氏」（ジョン・ケール）なるもの暦象新書を著す。」と志筑が訳した本を紹介し、「この書は天を静とし地を動とす。かつ、地球の外に許多の世界あるの理を言う」と宇宙論にまで及んでいることを述べている。

ここまでは志筑について直接の引用はなく、二九節冒頭に「長崎中野忠雄曰く（『暦象新書』）、〝恒星みな太陽にして皆不動なり。五星と地球とは全て太陰（自ら輝かない）にして、各々太陽を巡りて、自ずから回転するが故に、地の周行は太陽の右旋をなし、地の回転は天体の左旋をなす〟と」と簡明に地動説を要約している。しかし、どこから運動を見るかによって静動は相対的だから、「およそ全動は全静に異ならず」で、「地動・天動の説、いずれをか是とし、いずれをか非とせん」と志筑の言葉をそのまま借用して述べる。しかし、「かの上天の妙用、神変不測無窮なることを尊信するに足るべければ、地球の全体不動なるとのみは言うべからず」と、より大きな宇宙を考えれば地動説に軍配を挙げるべきだと言う。また、地球より大きい太陽や木星などが小さい地球の周りを回ることはおかしいのではないか、それ故に「地動のこともまた怪しむべからず」と結論する。蟠桃は、『暦象新書上編』に依拠しつつ、自分として一つずつ吟味して合理的な答えを得ようとしているのである。

三〇節において、「地動を言うの基い、また諸天・五星を視察し測量するところの基は、引力・重力にあり」と、運動の根源に力が働いていることを紹介する。『暦象新書』の記述の引き写しである。ただ「引力と重力と二用なれども、その実は一根なり。地に落ちるにおいては重力と言い、精気微質（物体を構成する微粒子）の上にては引力と言えり」と、言葉の使い方にも気を配っているのはなかなか親切である。「弾力・吸力・求心力と言うも、みな引力の別名なり。或いは伸び、或いは屈む。みな引力によるなり」とさらに詳しい。このように引力（分子間力）の解説をしておいてから、三一節はすべて『暦象新書中編』からの引き写しで、彼が特に注目した部分を抜粋したらしい。「天地のことは、全て引力にかかれり」と、宇宙の諸事象は引力（重力）が引き起こしていると考えるのだが、そもそも引力（重力）とは何であるかはわからない（「不測」という）。そんな不測の問題はいくらもあるとして、「恒星天の外、何物かある。天漢（天の川）何が故にか、かく周環せる。六合（宇宙空間）の外、限りありや、限りなしや。宇宙いずれの時にか始まり、いずれの時には終わる。これみな不測にあらずや」と、宇宙論の基本的な疑問を掲げている。ここに挙げられた不測は、現代にも通じる根源的な宇宙の謎である。

三二節以後が蟠桃のオリジナルである。三二節では、「尽くすとも極むること能わざるは天学にあるべし」と太陽系からいよいよ宇宙空間へ思弁を拡げるべきことを宣言する。なぜそうするのかという理由を、続く三三節において、天と地と人と五倫の繋がりを想えば、すべては天に発するのだから、と説明している。そしていよいよ三四節において、蟠桃が描く宇宙像を提示する。宇宙には点々と恒星が散らばっている。そして、その各々には数の大小はあれ五星や地球のような惑星が付随して回っており、さらに月のような衛星が惑星の周りを回っている場合もあるだろう。恒星が小さくて周辺に物質を集めることができず、惑星が伴っていない恒星もむろん存在する。それらは全て重力が成せる技で、「太陽の如きもの幾百万ということを知るべからざる」と断言する。蟠桃の宇宙のイメージをじっくり味わっていただきたい。

さらにクライマックスが用意されていて、最後の三五節において「およそ、この地球に人民・草木あるを以って推すときは、他の諸曜と言えども、たいてい大小我が地球に似たるものなれば、みな土にして湿気なるべし」と、恒星の周囲に形成される惑星は地球と同じように土ででき、水分があるであろうと推測する。とすると「太陽の光明を受けて和合せざることなかるべきや」と自問し、当然、和合＝反応すると自答する。「すでに和合すれば水火行われて（互いに相反する水と火が協力して）、草木の生ぜざることなし。又虫はもとより生ずべし。虫あれば魚貝・禽獣なきこと能わず」と理詰めで考えれば、「即ち、何ぞ人民なからん。故に、諸曜みな人民ありとする」のは当然、ということになる。宇宙には至るところに人間が存在していると主張するのだ。蟠桃にとっては、宇宙人の存在は当たり前なのである。

そして、最後に「我の有を以って拡充・推窮するものなれば、妄に似て妄にあらず。虚に似て虚にあらず。仏家・神道の如く無稽(むけい)の論にあらざるなり」と強調してこの章を終えている。彼はさんざん仏教の悪口を言い、神道のいかさまを糾弾しているのだが、それらの怪しい宗教とは違って、この宇宙論は「格物致知」の学問から帰結される当然の結論であると自信を持って宣言しているのである。

忠雄と蟠桃

志筑忠雄は翻訳家であったが、自然科学においても優れた理解力を発揮して、ニュートン力学を日本に紹介した。数多くの物理用語を創り出さざるを得なかったように、その研究過程は困難を極めた。何しろ、相談したり議論したりできる知人・友人は誰もおらず、まったくの孤独の中での作業であったからだ。結局、陰陽五行説から離れることができなかったのだが、時代の背景や雰囲気を考えればそれは仕方がなかったと思われる。そして、地動説に基づく太陽系の構造のみならず、その形成論にまで想像を展開したことは大きな評価に値する。彼の業績をもっと見直されてしかるべきではないかと思う。

一方、山片蟠桃は大名貸しの豪商の番頭であり、商売に辣腕を振るいながら、実に合理的な思考で歴史・政治・経済・宗教などあらゆる問題に議論を展開したことに脱帽せざるを得ない。実際、金貸しの番頭が無神論を堂々と主張するなんて考えられるだろうか。本稿で取り上げたのは主として蟠桃の宇宙論にかかわることで、司馬江漢が無限宇宙を空想し、志筑忠雄が重力を持ち込んで多重宇宙の可能性を紹介した後、蟠桃はさらに想像を膨らませて人間が多数存在する宇宙論を提案したわけである。論理的に徹底して考えれば、それが必然の帰結だと主張したことが特筆される。

右の三人がほぼ同じ時期（一八〇〇年代初頭）に登場し、いずれもが天文学を専門としたわけではなく、あえて言えば文系の人たちであった。なぜ、そのように一致して出現し、必然であったのか、単なる偶然であったのか、そのことを文化の広がりの一側面として考えてみるのは興味あることではないだろうか。

註

(1) そのため、実家の中野姓に戻って、以後中野忠雄と呼ばれることもある。また、名の忠次郎、号の柳圃、字の季飛の名前で呼ばれることもある。

(2) 以上の『蘭学事始』の文章は、講談社学術文庫・片桐一男訳による。

(3) 鳥井裕美子「志筑忠雄の生涯と業績」『蘭学のフロンティア——志筑忠雄の世界：志筑忠雄没後二〇〇年記念国際シンポジウム報告書』、長崎文献社、二〇〇七年。

(4) 孔子の弟子の宰我が昼寝ばかりをしていたのにかけた。書名の経緯はすぐ後に出て来る。

第12章　寺田寅彦——ある物理学者の人生と文理の融合

寺田寅彦については、これまで多数の伝記や研究書や思い出の記が出されてきたので、今さら付け加えることはなさそうに思えてしまう。しかし、彼の全集を読み返すとつい何か新しく付け加えるところはないかと思案したくなる。彼の生き様はいくら語っても語り尽くせないような気になるからだ。

そこで本章は、彼の人生の歩みをたどりながら、彼が体得し、自然のうちに生き様となった文理の融合に、どのように近づき集大成してきたかをまとめてみたい。といって、誰もがこのことについて着目してきたのだから特に目新しい観点というわけではなく、おそらくこれまでに散々に論じられてきたことであろうと思う。だから、新たに何かを付け加えられているわけではないことを予めお断りしておかねばならない。

ここで持ち出すのは、彼が行った口頭発表（学会発表や帝国学士院での発表や談話会などでの講演）、論文（欧文論文数とそのうちの単著の比、和文論文）そしてエッセイ（歌仙やローマ字文も含む）の数の推移を年代順にまとめたものである（数え落としや見落としがあって正確な数でないかもしれない）。彼がいかなる活動に力を入れていたか、また年代とともにその力点がどのように変わっていったかがわかるのではないかと考え、『寺田寅彦全集　第17巻』（岩波書店、一九九八年）にまとめられた作品一覧表を参照して作成したものである。

これを見ると、彼の第五高校入学（一八九七年）以来の生涯を四つの時期に分けて考えることができそうである。それをまず提示しておくと、以下のようになる。

《第Ⅰ期》　修業時代：科学と文学の模索（一八九七―一九一一年）

第五高等学校に入学してから田丸卓郎や夏目金之助と知り合い、物理学と俳句に興味を覚え、研究者の道を歩み始めた時代で、二年間のヨーロッパへの留学が終わるまでの期間である。科学と文学の双方を模索し、いずれにも目が開かれていった時代と言えよう。

《第Ⅱ期》　哲学の時代：科学評論に打ち込む（一九一二―一九二〇年）

帰国後Ｘ線回折の実験でノーベル賞級の仕事をする一方、物理学の基礎を深く考えて哲学に打ち込み、書き物も科学評論が中心であった。原子物理からマクロ物理学に研究の重心が移り、欧文論文には単著が多く充実した研究生活を送った。胃潰瘍で一年間休職するまで科

	数　物	帝国学士院	地震研	理　研	その他	単著／欧文	和　文	エッセイ
99								3
00								3
01								
02								
03								
04	4					3/5		
05	5					6/10	1	3
06	2					8/13		2
07	2				1	3/6		13
08	3					3/9		14
09							1	4
10						1	1	4
11					1			11
12	2				1	2/2		10
13	1				2	3/3		11
14	3					2/3	4	12
15	2				5	2/2		11
16	4					2/3		7
17	3					5/6		11
18	5				1	1/1		14
19	2					3/4	1	9
20								30
21								49
22	4				1	5/8	2	44
23	2				3	1/1		29
24	3				2			38
25	3	1			1	1/2	4	12
26	2	2	3		3	7	1	16
27	1	5	12		2	3/12	3	16
28		11	12		2	5/12	8	27
29		4	6	1	1	2/13	6	18
30		4	7	1	1	8/12	5	22
31		4	9	4	1	7/11	3	38
32		7	7	3	1	9/18	5	42
33		5	4	4	1	7/9	3	51
34		9	7	4	1	9/14	6	55
35		3	3	4		2/9	3	57
36						2		

学会発表・講演・論文・エッセイ数の西暦年次一覧
数物：数学物理学会
その他は、水産講習所、航空学談話会、日本天文学会、気象台、国民美術協会など
単著／欧文は、欧文論文数と寺田が単著の論文数の比
和文は、和文論文数で解説は含まない
エッセイは、自由に書いた文章でローマ字文も含む（解説は除外）

学者として自立した時代でもある。

《第Ⅲ期》　文理融合の時代：冬彦の登場（一九二〇―一九二六年）

アインシュタインが来朝し、大震災に遭遇した。従来から関心があった地球物理学に重心を移し、地震・火災など災害問題にも力を注入するとともに、もっぱら吉村冬彦のペンネームでエッセイを書き始めた時代である。東大の教授を辞め地震研の専任となるまでの、多忙な生活のなかで文理融合へと脱皮した時代である。

《第Ⅳ期》　集大成の時代：晩年の充実（一九二七―一九三五年）

研究発表は専ら帝国学士院で行ない、地震研や理研の談話会では幅広いテーマで精力的に講演し、多くの弟子を育てて論文も多数出版する。併せて、映画・連句・俳諧・歌仙・古典などに親しみ、新しい物理の方向、生物への興味、防災科学などへと手を広げ、寺田寅彦の生涯で最も充実し多産な時代であった。

ここでは、留学、大病、東大辞職を変化の節目の時期として区切り、それぞれに相応しいと思われる時期の呼び名としたのだが、いささか強引であることは認めざるを得ない。しかし、概ね彼の生き様の特徴を捉えているのではないだろうか。むろん、示した年代通りにくっきり分けられるわけではなく、その前後一から二年の遷移期があるから、余り厳密には受け取られぬよう。

以下では、各時代の主な出来事を挙げながら、それが寺田寅彦の人生にいかなる影響を与えたか、そこから彼がどのような意味を読み取ったか、考えてみることにする。あくまで私の勝手な推測であることを断っておきたい。

第Ⅰ期　修業時代：科学と文学の模索（一八九七―一九一一年）

寺田寅彦が一八九六年に熊本の第五高等学校に入学してすぐに重要な出会いがあった。寅彦が入学した年の四月に英語教師として夏目漱石（金之助）が、八月に物理学の教師として田丸卓郎が赴任したことである。最初に田丸卓郎から寅彦は物理学の面白味を教えられた。寅彦の父親の寺田利正は軍人で、息子が富国強兵の象徴たる分野である工科（造船）に進むことを望んでいたが、寅彦は田丸の影響で理科を志望して父親を説得し、一八九九年に東京帝国大学理科大学物理学科に入学した。熊本時代の一八九八年に寅彦は田丸の下宿を訪ねてバイオリンの演奏を聞き感銘を受け、彼もさっそくバイオリンを購入して練習したというエピソードがある。一九〇〇年に田丸が東京帝国大学助教授になって東京で再会し、再び寅彦を教えることになった。田丸からはローマ字の簡明さも教えられて共鳴し、寅彦も数多くのローマ字による文章を書いている。特に子供向けに科学の話題を多く取り上げて易しく解説しており、ローマ字文でもエッセイを書き続けた。

他方、夏目漱石とは最初は英語を学ぶだけの普通の学生であったが、寅彦が二年生になった一八九八年に友人の成績の点を貰いに漱石宅に行ったことが、親密になるきっかけであった。そこで「俳句とはどんなものでありますか？」と聞いたのである。このことが発端となって付き合いが始まり、漱石が亡くなる一九一六年まで一八年に渡って長き交友が続いた。寅彦は、一一歳年上の、俳句の真髄を教えてくれた漱石を師と仰ぎ続けたが、科学に興味を持つ漱石にとっては寅彦は科学に関する師匠であり、互いに尊敬し影響し合ってきた。後年、執筆に忙しくなった漱石と弟子たちが会えるのは木曜日と決まっていたが、寅彦は例外で、いつでも漱石を訪ねる特権を有していたそうだ。

寅彦が作った俳句を漱石が添削して優れた句が子規に送られ、「ホトトギス」や「日本新聞」に掲載されている。やがて短文の創作も勧め、優れたものが「ホトトギス」に採用されたのが一八九九年と一九〇〇年の三つずつのエッセイである。文学に開眼するようになったのには漱石の手助けがあったのは事実で、寅彦の文学的素養や文科的気質の涵養は、漱石の影響抜きには考えられない。

このような二人の優れた先生に巡り合えたことによって、物理学を主体としながら文学とも深くつながっていくという彼の一生の方向が決まったと言える。やはり人生には人との出会いが非常に重要であることがわかろうというものである。むろん、本質的な部分で彼の資質がそこにあったのは言うまでもないが。

出会いと言えば、寅彦の最初の妻となる阪井夏子との短い出会いを飛ばすわけにはいかない。養子であった父利正は、年老いて得た一人息子である寅彦なので早く嫁や孫の顔を見たいと願い、寅彦に早い結婚を望んでいたらしい。そのため、まだ寅彦が一九歳の高校生、夏子が一四歳であったにもかかわらず、一八九七年に結婚させている。これには寅彦も抵抗できなかったらしい。結婚はしたが、まだ少女である夏子の成長を待つため、彼女は高知の実家で過ごすことになった。

寅彦が東京帝国大学理科大学に入学した後、二人が東京で一緒に暮らすようになったのは一九〇〇年の春である。ところが、その年の暮れに夏子は結核のために喀血した。そのため翌年の二月に妊娠中の夏子は高知に戻って療養することになり、五月に二人の間の長女貞子を生んだのだが、そのまま夏子も貞子も高知に留まることになった。寅彦は一九〇一年に肺尖カタルで一年間大学を休学し高知に戻って療養したが、結核が感染することを周囲が心配してあまり会うことができなかった。夏子が亡くなったのは一九〇二年一一月だから、名目五年、正味一年くらいの夫婦生活であった。「つれなかりし我世の果の墓に植えよ薊(あざみ)の花のとげとげしきを」という短歌は、愛する妻を失った彼の寂しさと気持ちの険しさを如実に表している。この夏子への思いが生涯寅彦の心を大きく占めていただろうことは後述する。

一九〇三年に寅彦は大学院に進学するが、夏子を喪って心は憂鬱であったに違いない。それを振り払うかのように研究に没頭し、海水振動(潮汐の副振動)の研究のために高知へ出張したり、本多光太郎と共同研究をした間欠温泉の研究のために熱海に出かけている。このようなテーマで一九〇四年から数学物理学会（数物学会）で研究発表を行い、欧文論文も発表するようになり、一人前の研究者として認められるようになった。そのような研究実績が認められたのだろう、一九〇四年に東京帝国大学理科大学講師として採用されている。寅彦が科学者として独り立ちし、共同研究を行いつつ、独自のテーマでも研究成果を挙げ始めたことが、それ以後の欧文論文数とそのうちの単著論文の数を見ればわかる。

おそらく、一九〇五年は寅彦が文学においても大きな飛躍の年になったのだろうと想像できる。この年の一月から漱石が「ホトトギス」に『吾輩は猫である』を執筆し、それが大人気となって翌年の八月まで連載されたのだが、その第二回目から登場する理学士の水島寒月は寺田寅彦をモデルとしたものであることはよく知られている。この登場人物たちの会話で、首吊りの力学とか、ガラス玉で蛙の眼球を作る話とか、障子の紙の歪み具合が超絶的曲線とかの科学にかかわる話題がいくつも出てくるが、これは寅彦との対話で漱石が聞き知った話であろう。前歯を折った寒月君のような冴えない人物でもあるが、それはまだ寅彦が妻を失った傷心の思いを持っていたためだろうと想像される。しかし、話が終わり近くなって、寒月君が元気を回復し、田舎に帰って結婚し妻を連れて挨拶にくる場面がある。これは実生活においても、連載中の八月に寅彦が二人目の妻の浜口寛子と結ばれて幸福な家庭を築き始めたことを見た漱石が、お祝いの意味も込めてこのような場面を設定したのだろうと想像している。

実は、その前にまだ伏線がある。一九〇五年の漱石宅で開かれた文章会に寅彦も出席しており、そこで小品を書く要領のようなものを学んだことだ。彼はエッセイと小説をミックスしたような作品の『団栗』を書き上げたのである。そこには、かつて小石川植物園にお腹が大きくなった夏子と出かけて団栗拾いをした思い出を、目の前で団栗拾いをする娘の貞子の動きと重ね合わせて回想する姿が詩的に描かれている（この場面はフィクションである）。このような文章が書けるということは、寅彦が夏子を喪った悲しみを克服した証拠でもある。そして、寛子と結婚し落ち着いた生活を送ることができるようになったのだ。「睦まじき顔をならべて炬燵哉」という俳句は、彼が得た明るく和やかな心境を表わしている。

『団栗』は「ホトトギス」一九〇五年四月号に発表され、さらに同じような作風の『龍舌蘭』が六月号に掲載された。漱石は大激賞して、森田草平宛ての手紙に、伊藤佐千夫の『野菊の墓』と比べて「遥かに技倆上の価値がある」と書いている。寅彦が一皮むけて人間として成長しただけでなく、文学に対する資質を十分に備えていることを示す契機となった作品と言える。翌年の一九〇六年には『嵐』を、翌々年には『森の絵』『枯菊の影』『やもり物語』と立て続けに作品を発表しており、寅彦の文学的修行が首尾よく進んでいったことがわかる。この間、一九〇六年に寅彦の文章力を高く買った漱石は東京朝日新聞社に寅彦を推薦し、「話の種」と題する科学をテーマとした短文を書くように勧め八八回も連載された。こうして、寅彦は科学と文学の探索を成功裏に終えることができたのであった。因みに、彼の学位論文は「尺八の音響学的研究」で、一九〇八年に理学博士の学位を得ている。いかにも彼らしいテーマである。

東京帝国大学助教授に任命されるやヨーロッパに留学することが命じられ、一九〇九年五月から一九一一年六月までヨーロッパに出かけアメリカを回って帰国した。その間に彼は、特に二つのことについて学んだのではないだろうか。

一つは、当時ヨーロッパを中心にして起こっていた物理学の革命で、原子や結晶の構造やX線・α線・β線の正体などミクロ世界の物理法則に関してこぞって研究競争が行われていたことである。量子論が花開く前夜であり、盛んに新しい実験が提案・実行されていたのだ。それを目にした寅彦が刺激を受けないはずがない。X線を結晶に照射してその像を調べて結晶の構造およびX線の正体を明らかにするラウエの論文を一九一二年に目にするや、さっそく彼も弟子の西川正治とともに実験に取り掛かったのである。そのために用いる強いX線照射装置は物理教室にはなく、患者の検査用に使われていた病院から借りて調整し直して使ったという。

このX線回折実験はイギリスのブラッグ父子との競争になったが、彼らの方が一歩先を行っており、X線を波長の短い電磁波と解釈して波長と結晶構造と反射角との関係を明らかにした（ブラッグの法則）。これに対し、寺田寅彦は結晶体を動かして回折像がどのように変化するかを観測できるような新しい工夫をしたが、最後までX線を微粒子か電磁波か判別することができなかった。そのため一九一五年のノーベル物理学賞はブラッグ父子に授与されることになった。寅彦もノーベル賞寸前の世界的な業績を挙げたのだが、最後の詰めの段階で後れを取ったのである。

しかし、「ラウエ映画の実験方法及其説明に関する研究」に対し、一九一七年に帝国学士院より寺田寅彦に恩賜賞、西川正治に学士院賞が授与された。

この経験は寅彦にさまざまなことを考えさせたのではないだろうか。科学の研究では、量子論のような新分野に挑む日本の研究者の数はヨーロッパに比べて格段に少なく、実験装置や実験室も不備である。そのような中でどのようにして科学研究において西洋と伍していくべきなのか、の問題である。その中で彼がたどり着いた結論は、金がなくても研究ができる「風土の科学」に目をつけることにより、どのようなテーマであろうと、世界をリードできる業績が挙げられるはず、というものであった。後年、『備忘録』（一九二七年）に書いているのだが、「西洋の学者の掘散らした跡へ遥々後ればせに鉱石の欠けらを捜しに行くもいいが、われわれの脚元に埋もれている宝をも忘れてはならないと思う」と決心したのだ。これと同趣旨の言葉は、日記にも中谷宇吉郎への手紙にも書いている。科学の進め方について、世上で取り上げられ流行になっている問題はむしろ敬遠し、これまで手が付けられなかった古典的な系の問題に取り組むことに研究の方向を定めたのである。

とはいえ、彼はミクロ世界の物理に興味を失ったわけではない。その後、原子構造や原子核について懇切な解説を書いているし、「蛍光板」と名付けた連作のエッセイを収録した同名の著書を出版しているからだ。「X線と結晶体」とか「三斜晶系」というタイトルのエッセイも書いている。結晶構造の研究は西川正治に任せたつもりなのだが、やはり未練が残っていたのではないかと想像される。

もう一つは、やはり西洋の科学者の哲学的素養に多くの感銘を覚えたことで、彼自身もマッハ、ポアンカレ、ジェームズ、カントなど多くの哲学者の著作に親しんでいる。一九一五年一月二日の日記には、「長岡先生を病院に訪ふ。物理学生に認識論を課することを相談す」と書いているように、長岡半太郎に学生たちに哲学の講義を行うことを提案したようだ。その結果は、誰も反対しなかったが実現もしなかった、ということらしい。彼はがっかりしてこの結果を受け入れざるを得なかった。

そこで彼は、自ら実践のつもりで「方則について」「知と疑い」「物質とエネルギー」（いずれも一九一五年）など科学評論を手掛けつつ、「物理学の基礎」と題する哲学的考察を基本に据えた物理学の教科書を書くことを決心して、一九一六年から手を付け始めた（一二月三〇日の日記）。「海の物理学（ローマ字）」（一九一三年）と「地球物理学」（坪井忠二との共著、一九一五年）を書いたことも自信になっていたに違いない。物理学の対象である自然はいかなる実体であり、どう認識して研究するかについて、「物理学基礎」という本で考察を深めようとしたのである。

ところが、一九一六年一一月に教授に昇進して学務が増える一方、一二月に漱石が亡くなり、翌年一〇月には最愛の寛子が死を迎えた。長女の貞子に加えて、寛子との間には二男二女の子どももあった寅彦には、とても子どもたちの面倒が見切れない。そのため一九一八年八月に酒井紳子を三人目の妻として迎えることになった。このような多忙な日々のため「物理学基礎」の執筆が難航した上に彼自身が胃潰瘍になって一九一九年一二月に吐血して、一年間大学を休んで静養に努めることになってしまった。

彼はこの機会を好機として執筆に集中するようになって中途で投げ出した「物理学基礎」に再度挑み、一九二〇年一二月頃から「物理学序説」として改めて書き始めた。結局未完のままに終わったのだが、残された文章を読むと、およそ物理学の本とは言えず、哲学の認識論に関する理論の集大成である。哲学する対象が自然現象であり、その認識表現や感覚的捉え方に物理学的手法を採用するというものであるからだ。「科学哲学」の創始者としての寅彦と言えるかもしれない。ロジャー・ベーコンとフランシス・ベーコンの比較、デカルトやライプニッツの方法論、ポアンカレやベルクソンの時間論、ロックやヒュームの認識論など、片端から哲学の本を渉猟して書き進めようとしたが、健康を取り戻すにつれ大学教授としての本務、研究者としての活動が忙しくなり、ついに「物理学序説」は完成されないままで終わった。今読み直すと、いかに寅彦が哲学に耽溺したかがよくわかる。悪く言えば彼は一種の哲学病に罹っていたのかもしれない。

この第Ⅱ期は、新しく勃興しつつある物理学に打ち込む一方、そのままでは西洋には及ばないと見極めをつけて彼独自の科学を模索する時期であった。その中で物理学の哲学的基礎を考察することの重要性を認識して、彼なりの物理学のイメージを確立しようとした時期であったのだろう。その意味では、より広い視点で物理学や哲学を捉え直そうとしたのである。文学における科学的要素を考えたのが漱石であるとすれば、寅彦は科学における哲学的要素を抉り出そうとしたと言える。漱石が亡くなったことにより、いっそうこのテーマに固執しようとしたのではないかと思われる。その苦悩が胃潰瘍となって現れ、一年間の病気休養を強いられたのだが、むしろ病気になったことが契機となって、ゆったりと周囲を見て幅広く思考する人に変わっていった。やがて、彼は文理融合の人として、その名随筆が冴えわたる時代を迎えるのである。

第Ⅲ期　文理融合の時代：冬彦の登場（一九二〇―一九二六年）

一九二〇年九月のエッセイ「小さな出来事」で、彼は初めて吉村冬彦のペンネームを使った。それまでは実に二〇近くものペンネームを使ってきたが、やがて藪柑子（やぶこうじ）、木螺（ぼくら）先生、木螺山人、（寺田）寅日子などを使い分け、そして徐々に吉村冬彦がほとんどを占めるようになっていった。吉村の由来は、吉村家の家系が途絶えようとするとき寺田家から人を迎えて跡継ぎにしたのだが、そのまま寺田名になってしまったことを考えて旧姓の吉村を採用したため、そして冬彦は単に一一月二八日の冬の生まれであるから、と自ら言っている。

しかし、この冬彦の由来はどう考えても安直過ぎる。藪柑子とか木螺という凝ったペンネームを使っているのだから、もっと奥深い意味があると考えるべきだろう。そこで素直に考えれば、最初の妻である夏子に対する冬彦というペアを考えたというのが正解ではないだろうか（この説を最初に言い始めたのは弟子の宇田道隆のようだ）。ほんの短い間しか夫婦ではなかったが、彼の夏子への思いはいくつかのエッセイに断片的だが懐かしく書いており、忘れきれなかったのだ。ではなぜ、この時期から使い始めたのだろうか。おそらく、献身的に寅彦を支え、四人の子供までもうけた二番目の妻の寛子に対する感謝の念と遠慮があったため、それまで大っぴらに使えなかったのだが、一九一七年に寛子が亡くなった。そして、新しく妻に迎えた紳子はやや狷介な性格の持ち主のため、寅彦としてはあまり彼女に気を遣う必要がなく、もっぱら冬彦を使う気になったのではないだろうか。

この第Ⅲ期から、彼は実に多彩なことに手を出し、文と理の双方にまたがる自分の幅を広げていくようになった。例えば、一九二〇年から「俳句を通しての漱石先生の研究」を小宮豊隆・松根東洋城と始めたのだが、一九二三年まで一三回に渡って毎月のように会を催し、『漱石俳句研究』として一九二五年に出版している。続いて、一九二三年から「日本文学の諸断片（其一）」として松根東洋城と蕉門の連句を一三回に渡って取り上げ（小宮が途中から加わる）、その句に感想や意見や解釈を加えるという試みを行い、それが終わるや一九二五年から松根と小宮とで連句の歌仙を開始し、生涯を終えるまで五〇巻も発表している。寅彦が連句に凝ったのは、それらの句における直観や連想、絵巻物と似たイメージの展開、時空を超えた想像などに科学と共通する要素があることに強く惹かれたためと思われる。連句は寅彦の文理融合を象徴していたのだ。

もう一つ、中谷宇吉郎が「球皮事件」として書いている、一九二四年に起こった航空船爆発事故原因究明で示した寅彦の推理力のすばらしさを挙げておかねばならない。錆びたアルミはスパークが発生しやすく、その火花のために漏れた水素に火が付いて飛行船爆発が起きたものであることを鮮やかに推理したのだ。実際に中谷たちが実験によってそれを証明した。物理学は通常理想的な条件で議論するのだが、現実の飛行船のアルミには錆がつき、風船からほんの少しだが水素が漏れることも考慮しなければならないと気づいたのだ。寅彦は優れた科学探偵でもあったのだ。

一九二二年にアインシュタインが来日して寺田寅彦も接待や講義に付き合い、翌年の九月一日に関東大震災が勃発した。大震災では調査員会委員長の重職を引き受けて、都内の焼け跡を見て回り、さらに鎌倉や国府津にも調査に出かけてその報告書を作成して提出した。ここで寅彦が明らかにしたのは、地震によって火災が引き起こされたのだが、多くの犠牲者を出したのは個々の多数の現場の総和ではなく、人々が家財道具を運び込んで集合していた大きな広場に周辺から火災旋風が起きて逃げ場を失ったためであると示したことであった。このことは新知見で、都市防災を考える上では今でも重要な示唆を与えている。

このように公私とも忙しい時代であったが、ほぼコンスタントに学会で研究発表を行い、欧文論文も発表している（少し減り気味だが）。彼は健康を回復して、精力的にエッセイを書くとともに、理化学研究所（理研）所員（一九二四年）、帝国学士院会員・震災予防評議会評議員（ともに一九二五年）、地震研究所所員（一九二六年）と、いろいろな役職に就き忙しさも増していった。そのためだろうか、これまで数物学会で発表していた研究を帝国学士院で発表するようになり（一九二五年より）、地震研究所の談話会には一九二六年から毎年講演を行い、地震に関連する地殻変動とか弾性波の問題、山崩れや海底変動など、幅広いテーマで数多くの話題提供をしている。彼は談話会でわいわい議論するのを楽しみにしていたようだ。

この第Ⅲ期は健康が回復し、関東大震災の調査に東奔西走する一方、いくつかの研究所の兼任となって彼の広範な知識が活かされている。他方で、俳句や連句に凝って過去の句の研究をしたり実作したりし、文学的な香り豊かなエッセイも書くようになった。八面六臂の活躍の開始期であり、文理融合の新局面を拓き始めたのである。

第Ⅳ期　集大成の時代：晩年の充実（一九二七―一九三五年）

一九二七年に東京帝国大学教授を辞職して地震研の専任の研究員となってから、一九三五年に転移性骨髄瘍で亡くなるまでの八年間を第Ⅳ期としている。この間の充実ぶりは表を見てもわかるだろう。彼が大学を辞めたのは官学の窮屈な体質が身に合わなかったためだと思われる。

まず、数物学会での発表を止めて帝国学士院での研究発表に完全に切り換えたことで、発表の数も増えている。ここでは、「回転物体によって引き起こされた流体の粘性運動」とか、「大スパークの形状や構造に対するハロゲン化合物の効果」とか、「対流による周期的渦運動モードの実験」などのような基礎物理学の話題、「関東地方における地殻の歪み」とか、「地震に伴う発光現象」とか、「半島の傾斜と地殻の剛性」とか、「島弧の曲率の経度依存性」などのような地震に関連する話題、「割れ目と電子の類似性」とか、「中国の墨の物理的性質について」などのような日常に遭遇する事柄にかかわる話題にも手を広げている。帝国学士院は、いわば功成り名遂げた学者の集まりだから研究の最前線に立つ者は少なく、まだ少壮の学者として会員に選ばれた寅彦は幅広いテーマについて進んで発表したのだろう。

地震研の談話会での講演も数多くこなしており、ほぼ二カ月に一回という高いペースで話題を提供している。むろん、地震に関連する多様な話題が選ばれている。一方、理研の学術講演会は春と秋に開催されているのだが、そのどちらにも複数のテーマについて発表しており（おそらく一つは共著者が発表したのだろう）、常連講演者となっていたようである。興味あるのは理研で行われた講演テーマで、「火山灰の吸着作用」「固体の破壊」「ガラス板の割れ目」「山林火災と不連続線」「椿の花の落ち方」「水晶球の打撃像」「墨流しの現象」「墨汁の性質」「割れ目と生命」など、これまで物理学の対象と考えられていなかった話題を意識的に取り上げていることだ。現代流で言えば、粉体物理、コロイド、フラクタル、破壊の科学、カオス、生物物理、非線形現象などで、彼の物理眼の先見性がにじみ出ているかのようである。理研という、一流の科学者が多数参加する学術講演会であるが故に、思い切って先進的な話題をぶつけたのだろう。彼は「小屋掛け物理学」（見世物のように次々と趣向が違ったものを出すだけ）とか「趣味の物理学（本式に研究する価値のないテーマを扱っている）」と陰口を叩かれたそうだが、そんな悪口にはお構いなく自分の興味に邁進したのである。

現在でも彼に対しては、「言うだけでは誰でも言える、本物の物理にしなかった」「アイデアを述べただけ」という批判がある。実際、彼が言い出したことで、すぐに研究対象として研究されずに言いっ放しのままで終わった問題が多くあるのは事実である。フラクタルや非線形解析のような新しい数学の手法がまだ開発されず、コンピューターも発達していなかった当時の状況においては、アイデア倒れで終わったことは止むを得ないだろう。また、生物に物理学を適用するという発想はまだ誰も考えてはおらず、大陸移動のような地面が動くというような大胆な発想には他の科学者は中々ついていけなかった。しかし、彼はそれらのテーマを弟子たちに与えることで、より深めていくという方法を採ったのである。

それが表に示されている欧文論文数と和文論文数の推移で、彼に単著の論文が比較的少ないのは弟子との論文の共著者となっているためである。やがて、彼が示唆した新しいテーマの研究が花開き始めたことが論文数の増加からわかる。宇田道隆が編集した『科学者　寺田寅彦』（ＮＨＫブックス、一九七五年）の最後に、寅彦が提案し、弟子たちが引き継いだ研究分野の一覧が書かれている。そこには、科学史、原子物理、基礎実験物理、統計現象、地震関係、火災論、地磁気、気象、流体、水産物理、潮汐・波浪、海底、農業物理が掲げられ、寺田寅彦から多大な影響を受けて成果を挙げた研究者として六二名の名前が列挙されている（おそらくここに列挙されていない研究者もいるに違いないから、これが最低数であろう）。その名前から数多くの錚々たる学者を輩出したことがわかるだけでなく、寅彦の人脈に連なる科学者がこれほどまでに多いかと驚嘆する。晩年における彼の科学への充実ぶりが偲ばれるというものである。

むろん、それだけでなく彼が発表した数多くのエッセイの量と質に驚かざるを得ない。表を見れば、この時期にはほぼ二週間に一編、多い年は毎週一編の随筆を書いていた計算になる。エッセイのテーマは止まることを知らないかのように多様に展開し、それぞれに自分なりの科学的解釈を付け加えていることに気づく。その代表的なテーマをまとめた文章を簡単に紹介しておこう。

一九三一年には「連句雑俎」を七回連載して、連句への蘊蓄を傾けるとともに、『俳句講座』で「俳諧の本質的概論」（一九三二年）を書いたり、「俳諧瑣談」（一九三三年と三四年）で俳句の作り方の指導に及んだりと、あたかも連句・俳句のお師匠さんであるかのごとくである。また、古典文学として「徒然草」を取り上げ（一九三四年）、「西鶴と科学」と題して大阪人の科学性を喝破している（一九三五年）。文学に科学性を読み解き、あらゆる場に科学が生きていることを見出しているのである。それだけではなく、「科学と文学」（一九三三年）に書いているように、言葉として、思考実験として、記録として、芸術として、広義の「学」として、科学と文学の類似性と異質性を論じる中で、思惟や表現や記憶や感覚の法則とどのような関係にあるかを考えている。寅彦は得意満面であったのではないか。

また、連句とともに彼が凝ったのは映画で、当時映画は時空を超えて人生のドラマを描き出す芸術のジャンルとして登場したばかりなのだが、彼は映画芸術に多くの新しい可能性を発見した。次々と連想の輪が広がっていく絵巻物を元々好んでいたが、思いがけない方向にも展開する「電気絵巻物」として映画を高く評価したのである。映画に連句や歌仙とも共通する要素を見つけたためだろう。一九三〇年から亡くなる一九三五年まで「映画雑感」を帝国大学新聞や「渋柿」に連載して、「メトロポリス」「西部戦線異状なし」「嘆きの天使」「巴里の空の下」「三文オペラ」「居酒屋」「にんじん」など、実に多くの名画に巡り合い、その感想を書きつけている。羨ましくなるような歴史的名画を多く見ていたことがわかる。

物理学に関しては、「日常身辺の物理的諸問題」（一九三一年）で私たちが日々目にする事象を物理として考察する面白さと大事さを、「量的と質的と統計的と」（一九三一年）で統計的研究の重要性を、「物理学圏外の物理的現象」（一九三二年）でまだ物理学の対象とされていない問題にも重要な問題が隠れていることを、「自然界の縞模様」（一九三三年）で自然界に見られる多様な縞模様（繰り返し模様やパターン）生成の謎を問いかける、というふうに物理学の幅を広げるための提言を意識的に行っている。従来の学問の枠に捉われず、見方さえ変えれば新しい可能性を発掘することができると強調しているのである。その当時はなかなか受け入れられなかったが、今では重要な問題として取り組まれているテーマが多くあり、やはりその先見性に脱帽せざるを得ない。

一方、「地震国防」（「時事雑感」中の一編、一九三一年）、「津浪と人間」（一九三三年）、「天災と国防」（一九三四年）、「颱風雑俎」「災難雑考」（一九三五年）など、頻繁に地震や津波や台風や火災などの天災に襲われる日本においては、災害教育にもっと力を入れなければならないと口を酸っぱくして強調している。しかし、「天災は忘れた頃にやって来る」で、日本人は天災に手痛い目にあってもケロッと忘れ、再び無謀な自然改造を行っていることに絶望して、「進化論的災難観」（災難を被ることによって人間は進化する）や「優生学的災難論」（災難を乗り越える才覚がある人間だけが生き残る）という、いささか匙を投げたような感想を述べるようになった。さて、二〇一一年に東日本大震災による大津波と原発事故を経験し、二〇一六年には九州を寸断するかのような熊本地震に遭遇した日本を見れば、寅彦はどのように思うのだろうか。

そして、最後に彼が最晩年に書いた「日本人の自然観」（一九三五年）に触れなければならない。風土が人間の気質を作り、それが文化や社会の伝統として歴代に伝えられていく、日本人の生き様をそのような観点で捉え、その長所や欠点を客観的に見直そうとしたものである。まさに文と理の両方の目を持つ寅彦ならでこその作品だろう。彼は死期が迫っていることを自覚していたかのようである。

最後は寺田寅彦の仕事の羅列になってしまったが、それだけ充実して多くの分野に手を出し、文章として残してきたことがわかる。さらに、バイオリンからチェロやフレンチホルンにまで手を出し、玉突きに凝りドライブに出かけ、ゴルフ見物もしたそうで、実にたっぷり時間を使って人生を有意義に生き切ったと言えるだろう。現代の私たちは、さまざまな文明の利器に囲まれてより便利になり、より長生きできるようになっているにもかかわらず、時間に追い立てられ、むしろ精神的に貧しくなっている。その差を埋めるために、せめて寺田寅彦が残してくれた文章を味わい、その豊かな心情を共有したいものである。

エピローグ

私にとって科学とは

私は、これまで科学にかかわる本を何冊か書いて、科学の営みはどのようなものであるか、そして社会において科学はいかなる役割を果たすべきか、を議論してきた。結局、私の科学者としての人生は、科学とは何かを問い続けてきた歴史といえるかもしれない。そのなかで、やはり私としてなお力点を入れ続けたいと思っている課題は科学との付き合い方で、以下ではそれについて私の試みを語ることにしたい。

本章を読む人の多くは、科学研究者への道を歩み始めている大学院生、あるいは若いスタッフであろうと想像する。そのような人にとっては、もはや卒業して関係ないと思われるかもしれないが、私が書いた若い人向けの科学にかかわる本の話から始めよう。わざわざそんな本の紹介から始めるのは、君たちが何のために自分は科学に従事しているのかについて悩んだとき、原点に立ち戻って自分にとっての科学とは何かを考え直してみる機会になると思うからだ。私が書いた高校時代の教科書の文章や入門書を読み返してみると何やら新鮮な気分になって元気を取戻すことができるかもしれない。むろん、元気溌剌で研究生活を送っている人にとっても、たまに原点に立ち戻ると科学の描像がはっきり見えてくることになるのではないだろうか。自分の足元を常にチェックすることは大事なことであるからだ。

私が最初に書いたのは『科学の考え方・学び方』(岩波ジュニア新書、一九九六年)で、高校生に話しかけるようなつもりで、科学がどのような営みであるのかを語ったものである。科学は、ある自然現象を前にしたとき、見えないところで何が起こっているかを想像し、その原因についての仮説から出発して筋道を追って(論理的に)追求し、導かれる結果が現象を過不足なく説明する行為と定義できる。そこで、仮説の段階、論理を積み上げる段階、そして実験や観察結果と照合する段階で、大切なことは何かを考えてみようとしたのである。さらに、科学の営みは単に自然現象の解明だけでなく、幅広く科学・技術と社会の関係や、そのなかでの科学者の責任まで含まれており、科学を学ぶということの社会的意味を共に考えようとした。この本は幸いロングセラーになっており、科学を志す若者への励ましとなっているのでは、とうぬぼれている。

二〇一九年に、やはり高校生向けに、少し違った視点で『なぜ科学を学ぶのか』(ちくまプリマー新書)を書いた。世間では「科学的に考える」ことが当然のように強調されているけれど、実際の人間関係のなかでは「科学的でない」場面が多く見受けられ、それはどこに問題があるかを考えたものである。というのは、若者と対話を重ねるうちに、「科学的」ということの意味が空回りしているような気がしたためだ。それにとどまらず、科学の二面性（効能と弊害、民生と軍事、文化と経済）と二種類の科学（単純系と複雑系）について語ることを試みることにした。若いうちから科学の営みを客観的に眺め、その在り様や実態について考える癖を身に付ける必要があるのではないかと考えたのである。一般に科学を志す若者は非常に優秀なのだが、それに溺れて視野が狭く、「科学オタク」になってしまうのを危惧したこともある。

二〇〇〇年頃から、科学倫理にかかわって科学者のあるべき姿を論じることが増えてきた。名古屋大学や総合研究大学院大学に在職中には「科学と社会」についてセミナーをもつ傍ら、『科学者心得帳』（みすず書房、二〇〇七年）を書き、『科学者をめざす君たちへ——研究者の責任ある行動とは　第3版』（米国科学アカデミー編、化学同人、二〇一〇年）を翻訳して、特に若い科学者に対して健全な科学者として育つようエールを送った。科学の不正事件が頻発し、なかでも大学院生や助教のような若い研究者がデータの捏造にかかわっている事件が目についたためである。その理由は、おそらく上司である指導教員から「成果が出ていない」と圧力をかけられ、「このままでは推薦書は書けないね」と脅され、何としてでも成果を出そうと焦って、やむなく悪手に手を出したものだろうと思われる。データの捏造・偽造・盗作は科学の犯罪行為であり、一度でも手を染めると科学者失格の烙印が押されるので、決してその誘惑に負けてはならない。

一般には、暗黙の裡に上司から不正行為を強要されることが多いのだが、そんな危険を感じたら思い切って専門分野を変えることを考えなさい、というのが私の処方箋である。自分が選んだのだからと律義に専門分野に固執する必要はなく、まったく無関係の分野であってもそこに移ればまたおもしろいテーマも見つけられるためである。特に日本では「この道一筋」が高く評価されがちなのだが、さまざまな分野に手を出して多様な研究のあり方を経験するのも科学者としての生き方ではないかと思う。肩肘を張った科学研究ではなく、どんな問題にも興味をもって柔軟に対応する、そんな余裕を忘れないことだ。

科学倫理を身に付けることの一番大事な要点は、不正行為や倫理的に逸脱した行為に携わらないことはむろんのこと、「自分は何のために科学を行っているのか」、「誰のための科学であるのか」と自問し続けることである。確かに科学研究はおもしろく、夢中になるとほかのことが眼中に入らなくなってしまうもので、ひたすら科学の発展のため新発見をし、新物質をつくるということを優先したくなる。しかし、そのような状況でも自分がもたらす成果が何のためなのか、誰のためであるのか、ということを振返ってみる習慣をもち続けることを強調したい。

「科学・技術のデュアルユース」とよばれるように、科学・技術の成果は人々の生活を豊かにするための民生的利用とともに、戦争を有利に進めるための装備品の開発という軍事的利用の両面に使われることが広がっている。その際、それらの製品の開発に当たった科学者は、その使用に関して自分には関係がないと言って済ませていいものだろうか。自分の成果は世界の平和や人々の幸福のために使われるべきとして、最低限軍事関係からの研究費はもらわないとの倫理規範を自分に課す必要があるのではないかと思う。

つまり、科学倫理を広く科学の成果の製造者責任ともいうべき科学者固有の職業倫理として捉え直し、戦争に協力することは一切拒否するという姿勢を堅持すべきだといいたいのである。『科学者は、なぜ軍事研究に手を染めてはいけないか』（みすず書房、二〇一九年）を出したのだが、科学者は実に多種多様な屁理屈をつけて軍事研究に携わっている。やはり戦争に協力するのは道義的に正しくないとの後ろめたさがあって言い訳を考え出すのだろう。その本音は、たとえ軍からであっても研究費が欲しい（つまり自分の保身のため）であり、それによって科学が発展するのでいいじゃないか（つまり科学のため）、というものだと思われる。そのように考えたくなったとき、やはり広く何のため・誰のための科学研究であるのかの自己省察が必要なのではないか。科学の営みの原点を忘れない、ということである。

私は、簡単な言葉で科学の真髄を述べられないかと考えて、いくつかキャッチフレーズを捻り出してきた。背景には、『科学のこれまで、科学のこれから』（岩波ブックレット、二〇一四年）に書いたように、これまでの一〇〇年の間に科学は「異様な」進歩をしたのだけど、その間に大事なことを取り落としてきたのではないか、それを振り返りながら、これからの一〇〇年に獲得すべき科学のあるべき姿を考えてみたい、ということである。既に『科学の限界』（ちくま新書、二〇一二年）に書いたのだが、そのキャッチフレーズのいくつかを披露しよう。

「等身大の科学」

科学の分野が細分化され、科学者は専門用語を交えて難しく語り、莫大な研究費が必要になり、科学が科学者だけの独占物のようになって人々から遠ざかるようになっている。そこで、対象が人間のスケールで、費用がたいしてかからず、誰もが気軽に参加できる、そんな科学を「等身大の科学」とよぶことにした。対象を観察したり手軽に実験したりして観察結果を記載し記録を積み重ねる、そんな博物館や科学館で取組んでいる日常活動のことが頭にあった。また、例えば世界各地の天文台が提供している銀河写真や電波観測の生データを解析するというようなオープンサイエンスも等身大の科学の仲間と言えるだろう。

「新しい博物学」

今や、高校に入るとすぐに理系と文系に分けられ、そのまま一生同じ道を歩まざるをえないのだが、実はそれはとても損なことである。というのは、文系が創り上げた人間知ともいうべき作品と理系の研究で発見し発明した科学知と呼ぶ研究成果という、人類が見いだし築き上げてきた知的世界の半分しか楽しまない（楽しめない）からだ。それはもったいないことで、芸術や芸能や歴史や宗教などの文系知と科学や技術や数学などの理系知が入り混じった博物学がつくれないかと考えたわけである。実際に塩や紙や磁石やメガネやリンゴなどの博物誌が出版されているが、私たちが日常に接しているあらゆるものについて、人間の歴史とのつながりとともに、科学的な側面を一緒にして話題にしたら楽しいのではないだろうか。「新しい」博物学といっているのは、これまでの博物学が文系知に偏っていたキライがあり、もっと理系の知識を交えていくことを強調しているためである。

「文化としての科学」

最近の科学は、「何の役に立つか」という経済的側面ばかりが強調されるようになっており、科学技術基本法が改訂されて「科学技術・イノベーション基本法」という法律名に変わったくらい、イノベーション（経済発展のための新機軸）に力点が置かれるようになっている。役に立たねば意味がないとさえいわれかねない状況なのである。しかし、科学（スキエンチア）は、本来「物事に対する総合的な知」であり、「自然哲学」と言われたように、自然の構造や運動、自然の変遷や存在そのものを哲学する（考える）ことであって、役に立つことは結果でしかなかったはずであった。つまり、科学は、文学や絵画や音楽などと同じく、私たちの精神的活動を豊かにする文化の一部であり、「無用の用」であることが原点であったのである。なまじっか科学が技術を通じて人間の生活を向上させるのにプラスであったために、科学は役に立たねばならないように思われ、科学者も役に立つ科学に躍起になっているのだが、はたしてそれでいいのだろうかという問いかけである、科学は、人類未踏の概念を発見することに邁進する、それでいいのではないか。

おわりに

最後に、社会的に生起しているさまざまな問題について「科学的に考えるべきこと」が多くあり、それが貫徹できたら世のなかはもっと合理的でスムースにいくのに、と思うことがたくさんある。科学者の一員として、多くの読者もそう考えることがたびたびあると思うのだが、それとともに、科学に問うことはできるが、科学のみでは答えられない問題がゴマンとあり、幅広い知恵を結集して考えるべき課題も多くあることを忘れてはならない。これを「トランスサイエンス問題」というのだが、地球環境問題とか、海洋資源の持続可能性とか、核抑止論のおかしさとか、科学の立場から問題の本質は明らかなのだが、それを解決するための方法や手段は科学のみで編み出すことはできない。つまり、科学は現象に対して裁断は下せるが、現象の解決に対しては無力なことが多いのである。だからといって、科学の発想が無意味だというのではない。

科学は人間にとって必要不可欠だが万能ではない、そんな当たり前のことをしっかり受け止め、科学が社会において果たすべき立ち位置を常に考えている、それが科学者に求められている科学が果たすべき役割ではないだろうか。科学を過大評価するのも、過小評価で済ませるのも、ともに間違いであるということなのである。それら科学と社会に関して、これまでの考察をまとめたものが『科学・技術と現代社会上・下』（みすず書房、二〇一四年）である。ここで掲げた私の著書を、科学と社会のことを考えるきっかけにしてもらえたら、と願っている。

あとがき

本書に収録した文章のように、昔雑誌等に書いた文章を掘り出して読み返すことになるのだが、少々どぎまぎすることがある。そのほとんどは依頼されて書いた原稿だから、当然ながら締め切りと許容枚数が決まっていたはずで、そのため、締め切りに追われて書き急ぎしたり、許容された原稿の枚数に制限されて舌足らずになったりしている場合があるからだ。読み返すうちに執筆時の状況を思い出して胸を衝かれることが多々あって、さて今どのように決着をつけるか（書き足すか、カットしてしまうか）考えてしまうのである。

一般に私は、頼まれた原稿については大まかな内容を早い段階で考え、習作のようなつもりでストーリーを作っておくのが常なので、締め切り日に追われることは少ない。しかし、ストーリーが出来上がらない場合も多々あって、締め切り日までもつれ込んで四苦八苦することがある。そのような場合には苦し紛れに文章を捻り出すので、どうしてもぎこちない文章になってしまって、我ながら読むに堪えないまま原稿を出版社に渡すことになる。そして、初校のときに大幅に手を入れようとするのだが、なかなか思い通りに直らず、不満なままで妥協するしかなくなってしまう。そんな文章は誰にもわかるのだろう、重要なテーマであっても編集者もあえて再録しないからである。

他方、さらに書ける紙数があればもっと書き込んだのだが、ヒントの部分を書いただけで文章を閉じる必要があったり、材料はまだあるにも拘わらずバッサリ打ち切ってしまわねばならない、という場合がある。実際、最初に許容された枚数に合わせて書けるなんてことは珍しく、大体においてはもっと書けたのにという不満を残しつつ筆をおくことが多い（手練れの作家は逆で、本質的な部分はほんの数枚で、ストーリーとは関係がない場面をいくつも挿入して枚数を増やし原稿料を稼ぐそうだ）。私の場合は、大抵規定の枚数では書き足りないのが普通で、無理にでも起承転結をつけて話を終わらせるか、面白いと思ってせっかく書いていた挿話をカットすることになってしまう。

しかし、不思議なもので、そんな少し書き足りないなあと思って出した原稿の方が編集者の受けがよい。すべて書き尽くしてしまうより余韻を残しておく方が文章として品格があるためだろうか。それとも、書き手の意欲が勝り過ぎて、根拠のないことまで書き込んでしまう危険を犯さないので、編集者は安心できるためだろうか。つまり、編集者が締め切り日と許容枚数を定めるのは、むろん発表する印刷媒体の制限があるためなのだが、書き手に対する心理的な制約・圧力を課すことによって、それなりに原稿の仕上がりにプラスに働くことを知っているためなのではないかと憶測している。

他方、書き手である私にとって、本書のように、かつて個々別々に書いた文章を、時を経て収録し再構成する作業は実にスリリングである。独立で書いた文章なのに、それらに惹句を付けて章分けし、新たな意味づけをすることによって、ひとつながりになって新たな姿を現すからだ。書き手にとっては過去に書いた文章が生き返るだけでなく、より豊かな可能性を提示するようになることで、書き手冥利に尽きるというものである。

一方で微妙な問題も生じる。かつて書いた文章が、果たして今も同じ考えの下で、同じように声高に主張することができるか、である。人間の思いやその強弱点は変化していくものだし、かつて重要だとしきりに思っていたのだが、今となっては何とも思わない、ということもあるからだ。本書では高々五年前に書いた文章の収録だから、現在とはそんなに大きな齟齬はないが、微妙に変化している部分もある。特に、私が現役の大学教員ではなくなったことから、「大学改革」や「軍学共同」に関してピントが外れつつあるかもしれない。やはり研究・教育の現場で感じる現実感覚と、そこから離れて抱く理念重視の感覚は異なっているだろうからだ。特に、若手の教員や大学院生などの意見や素朴な思いから外れているのではないかと危惧する。年齢のギャップもあるが、現場で進行している事態に疎くなっている可能性もある。だから、若手から見れば無責任な言葉と捉えられるかもしれないが、逆に居直って言えば、一歩離れた場から見える光景を共有するのは意味があるのではないかということだ。嫌がられようと「小言幸兵衛」が必要な状況が多いのではないだろうか。

という次第で、本書に収めた文章を読み返し、手を入れ、しかるべき箇所に位置付けたのだが、果たしてこれでよいのかとの思いは残ったままである。かつて書いた文章の意味付けに迷い、別の箇所の、別の章分けに使った方がいいのではないか、と思った場合もあったからだ。また、文章を編集し制作して本とする過程で、慣性系のごとく自己の行く方向に干渉されたくない私と、より効果的に文章を活かしたいと願う編集者との間でフリクション（摩擦）は必ず生じる。その揚げ句が本書になった。次のステップは、慣性系として一直線に進みたがる本書を、読者が評価・批判を含めて摩擦役になってくださることを期待したい。

因みに、本書の編集者は青土社の永井愛さんで、企画から私の雑文の渉猟、そして慣性系の概念によって原稿を整理し編集までやってくださった。著者として心からのお礼を申し上げる。彼女の助けがなかったら本書は実現していなかっただろう。大いに感謝したい。

池内　了

参考文献（主なもののみ）

朝倉治彦他編『司馬江漢の研究』八坂書房、一九九四年。

有坂隆道編『日本洋学史の研究Ⅵ』創元学術双書、一九六八年。

Ann Finkbeiner, *The Jasons: The Secret History of Science's Post war Elite*, Viking. 2006.

潮木守一『ドイツ近代科学を支えた官僚――影の文部大臣アルトホーフ』中公新書、一九九三年。

オットー・ネーサン、ハインツ・ノーデン編『アインシュタイン平和書簡Ⅰ』金子敏男訳、みすず書房、一九七四年。

金子務『アインシュタイン・ショックⅡ――日本の文化と思想への衝撃』岩波現代文庫、二〇〇五年。

C・ウィットベック『技術倫理1』札野順、飯野弘之訳、みすず書房、二〇〇〇年。

黒田源次『司馬江漢』東京美術、一九七二年。

坂田昌一『科学者と社会 論集2』岩波書店、一九七二年。

佐々木敏二、小田切明徳編『戦争の生物学 山本宣治全集 第4巻』汐文社、一九七九年。

杉田玄白『蘭学事始』片桐一男訳注、講談社学術文庫、二〇〇〇年。

寺田寅彦『寺田寅彦全集　第17巻』岩波書店、一九九八年。

中野好夫『司馬江漢考』新潮社、一九八六年。

中村真一郎『木村蒹葭堂のサロン』新潮社、二〇〇〇年。

沼田次郎、松村明、佐藤昌介『洋學 上 日本思想大系　第64巻』岩波書店、一九七二年。

芳賀徹編『杉田玄白、平賀源内、司馬江漢 日本の名著　22』中公バックス、一九八四年。

広瀬隆『文明開化は長崎から 上』集英社、二〇一四年。

広瀬秀雄、中山茂、小川鼎三『洋學 下 日本思想大系　第65巻』岩波書店、一九七六年。

フィリップ・ボール『ヒトラーと物理学者たち――科学が国家に仕えるとき』池内了、小畑史哉訳、岩波書店、二〇一六年。

細野正信『司馬江漢――江戸洋風画の悲劇的先駆者』読売選書、一九七四年。

水田紀久、有坂隆道『富永仲基、山片蟠桃 日本思想大系　第43巻』岩波書店、一九七三年。

山本義隆『原子・原子核・原子力――わたしが講義で伝えたかったこと』岩波書店、二〇一五年。

R・P・ファインマン『聞かせてよ、ファインマンさん』大貫昌子、江沢洋訳、岩波現代文庫、二〇〇九年。

R・P・ファインマン『困ります、ファインマンさん』大貫昌子訳、岩波現代文庫、二〇〇一年。

ロマン・ロラン『政治論――１９６４―１９３５ ロマン・ロラン全集　第18巻』宮本正清他訳、みすず書房、一九五九年。

初出一覧

はじめに　書き下ろし

プロローグ　「慣性の法則——世界で最も美しい法則」（『現代思想』二〇一七年三月臨時増刊号）

第1章　「「ニコライ＝アインシュタイン宣言」を巡って」（『現代思想』二〇一九年八月号）

第2章　「軍事と科学——ナチスドイツとＪＡＳＯＮ」（『天文月報』二〇一七年一二月号）

第3章　「スペースシャトル事故調査」（『数理科学』二〇一八年九月号）

第4章　「ＡＩの軍事利用を問うグーグル社員」（『世界』二〇一八年八月号）

第5章　「戦争と環境破壊」（『現代思想』二〇二〇年三月号）

第6章　「戦争を抑止できるものは何か」（『世界』二〇二〇年一〇月号）

第7章　「科学技術の軍事利用」（『情況』（第四期）二〇一五年一二月・二〇一六年一月合併号）

第8章　「軍学共同の現段階」（『世界』二〇一八年一一月号）

第9章　「「大学改革」と日本の将来」（『現代思想』二〇一五年一一月号）

ダイアローグ　「大学と軍事研究の戦前・戦後――大学の戦争責任を考える」（『大学と軍事研究の戦前・戦後――大学の戦争責任を考える』宮澤・レーン事件を考える集い　二〇一九年一二月　講演録）

第10章　「私の古典探索――窮理学師江漢」（『窮理』第四号、二〇一六年）

第11章　「江戸の宇宙論――二人の窮理学（前編）長崎通詞の志筑忠雄」（『窮理』第一五号、二〇二〇年）「江戸の宇宙論――二人の窮理学（後編）金貸し枡屋の山片蟠桃」（『窮理』第一六号、二〇二〇年）

第12章　「寺田寅彦の人生と文理の融合」（『現代思想』二〇一六年六月号）

エピローグ　「科学の営みについて考える」（『現代化学』二〇二〇年九月号）

あとがき　書き下ろし

※本書への収録にあたり大幅に加筆修正を施した。

池内 了（いけうち・さとる）
1944年、兵庫県生まれ。総合研究大学院大学名誉教授、名古屋大学名誉教授。専門は宇宙論、科学技術社会論。世界平和アピール七人委員会の委員でもあり、長年にわたり科学者の立場から平和を呼びかけ続けている。『お父さんが話してくれた宇宙の歴史（全4冊）』（岩波書店、1993）で産経児童出版文化賞JR賞、日本科学読物賞を、『科学の考え方・学び方』（岩波ジュニア新書、1997）で科学出版賞（講談社）、産経児童出版文化賞推薦を、『科学者は、なぜ軍事研究に手を染めてはいけないか』（みすず書房、2019）で毎日出版文化賞特別賞をそれぞれ受賞。そのほかの著書に『ふだん着の寺田寅彦』（平凡社、2020）、『寺田寅彦と現代 新装版』（みすず書房、2020）などがある。

宇宙研究のつれづれに
——「慣性」と「摩擦」のはざまで

2021年2月19日　第1刷印刷
2021年2月26日　第1刷発行

著　者　　池内 了
発行者　　清水一人
発行所　　青土社
101-0051　東京都千代田区神田神保町1-29　市瀬ビル
電話　03-3291-9831（編集部）　03-3294-7829（営業部）
振替　00190-7-192955

装　幀　　重実生哉
印刷・製本　双文社印刷

ISBN978-4-7917-7356-5 C0040　Printed in Japan